Jocelyne Filteau

La Géomancie traditionnelle

Art divinatoire millénaire

Pr Gilbert Jausas
Gisèle L. Jausas

La Géomancie traditionnelle

Art divinatoire millénaire

Choisir plutôt que subir.
Ne plus jouer à pile ou face.

Données de catalogage avant publication (Canada)

Jausas, Gisèle

La géomancie traditionnelle : art divinatoire millénaire

ISBN 2-89074-431-0

1. Géomancie. I. Jausas, Gilbert, 1907- . II. Titre.

BF1779.A88J38 1993 133.3'33 C93-096785-2

Édition
Les Éditions de Mortagne
250, boul. Industriel, bureau 100
Boucherville (Québec)
J4B 2X4

Diffusion
Tél.: (514) 641-2387
Téléc.: (514) 655-6092

Dépôt légal
Bibliothèque nationale du Canada
Bibliothèque nationale du Québec
1er trimestre 1993

ISBN: 2-89074-431-0

1 2 3 4 5 - 93 - 97 96 95 94 93

Imprimé au Canada

Merci à nos élèves pour les encouragements
qu'ils nous ont largement prodigués.
Nous leur souhaitons un plein épanouissement
dans la paix, l'amour, l'harmonie.

Gisèle et Gilbert Jausas

TABLE DES MATIÈRES

AVERTISSEMENT

Les choses qui vont être dites ne sont que des influences en rapport avec votre programme de vie. Ce sont des possibilités actuelles et non pas des prédictions.

Elles ne vous sont révélées que pour éclairer votre situation et vous permettre d'agir ou de réagir selon votre propre jugement.

C'est vous donner la possibilité de ne pas décider à l'aveuglette et de prendre les bonnes décisions.

Notre enseignement de la Géomancie est assez complet. Il comprend de multiples facettes pouvant toutes être interprétées, bien que l'on ne doive pas obligatoirement toutes les utiliser dans chacun des thèmes.

Il ne faut pas tomber dans la tentation de vouloir dégager une foule de détails pensant qu'un nombre important de précisions est nécessaire pour éclairer une réponse.

Au contraire, trop de données nuisent à la netteté de cette réponse; c'est la surcharger et l'embrouiller.

L'artiste peintre a la possibilité d'appliquer toutes les couleurs dont il dispose sur sa palette; cependant, il choisit seulement celles qui peuvent exprimer au mieux le thème de son tableau. Il évite de le surcharger de teintes inutiles à la bonne compréhension de son œuvre.

C'est exactement ce qu'il faut faire dans la composition, l'interprétation d'un thème géomantique. Il faut en brosser un tableau aussi précis que possible en utilisant seulement les données indispensables à la bonne compréhension de la réponse.

La complexité apparente de la Géomancie ne doit pas effrayer l'étudiant. De grandes satisfactions l'attendent même dans une simple interprétation obtenue en quelques minutes (des méthodes de réponses rapides, simples mais efficaces sont décrites dans le présent ouvrage).

Ne pas se croire obligé d'interpréter dans chaque cas: les éléments, les aspects dans les deux sens, les domiciles des figures, les maisons dérivées, les figures complémentaires, etc.

Un choix judicieux de ces moyens d'expression est un art, et la Géomancie en est un: c'est un art divinatoire, plus précisément un art divin!

Gilbert Jausas et *Gisèle L. Jausas*

Comme la Lune se reflète dans l'eau,
la Terre est un miroir pour le Cosmos.
Des figures étoilées l'imprègnent
avec notre Destin.
C'est un langage voilé
que décrypte la Géomancie.

LA MÉDAILLE GÉOMANTIQUE

Premiers pas dans la Géomancie à travers la Médaille géomantique avec laquelle on ne joue plus à **pile** ou **face.**

Faire deux figures pour obtenir la réponse souhaitée.

Exemple:

Question: «Est-il bénéfique pour moi d'accepter l'offre d'emploi qui m'est proposée?»

Pensons à cette question en traçant des traits verticaux les uns à la suite des autres, sans les compter; puis une deuxième ligne, puis une troisième et une quatrième, comme l'indique le dessin.

Supposons que le nombre de barres soit 14 - 9 - 22 - 13. Faisons un «point» à côté des nombres impairs, et deux points à côté des nombres pairs. Nous obtenons la figure appelée *Acquisition* dans le tableau des réponses (voir p. 17).

//////////////	=	14 (nombre pair)	=	● ●	
/////////	=	9 (nombre impair)	=	●	Acquisition
//////////////////////	=	22 (nombre pair)	=	● ●	
/////////////	=	13 (nombre impair)	=	●	

Réponse: «Il est bénéfique, enrichissant d'accepter l'offre d'emploi proposée.»

Si nous désirons obtenir plus de précisions, nous traçons une seconde figure avec la projection de quatre autres lignes de barres, qui constitueront une deuxième figure.

Supposons que les quatre nouvelles lignes de barres nous donnent les nombres suivants:

//////////// = 12 (nombre pair) = ● ●
///////////////// = 17 (nombre impair) = ● Rencontre
/////////// = 11 (nombre impair) = ●
//////////////// = 16 (nombre pair) = ● ●

Comme pour la première figure, notons un point pour les nombres impairs et deux points pour les nombres pairs. Cette deuxième figure se nomme *Rencontre* selon le tableau des réponses.

Réponse: «L'emploi serait bénéfique, enrichissant par des rencontres, des contacts.»

Plus encore? Additionnons géomantiquement les points de ces deux figures pour en dégager une troisième.

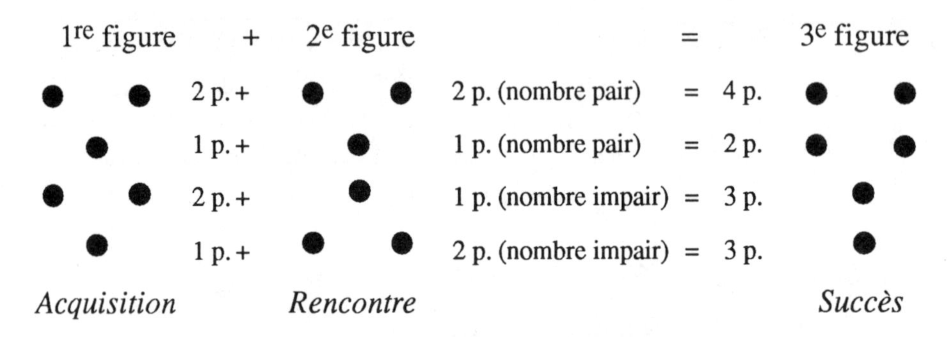

Complétons la réponse: «Emploi bénéfique, enrichissant par des rencontres, des contacts qui mènent au succès.»

Voulons-nous savoir dans quel domaine? Traçons une ligne de barres complémentaire. Comptons-en le nombre, toujours fait au hasard. Supposons qu'il y en ait 14. Retranchons 12, il en reste 2, ce qui nous conduit au «domaine» II, c'est-à-dire *Gains*.

La réponse devient: «Oui, il est bon d'accepter l'offre d'emploi qui m'est proposée. Il promet d'être bénéfique, enrichissant pour moi, par des rencontres, des contacts qui peuvent me mener au succès et améliorer mes gains en argent.»

Si le nombre de barres de ce jet complémentaire, destiné à connaître le domaine dans lequel se situe cet emploi, donnait le nombre 29, il faudrait soustraire autant de fois 12 contenus dans 29, soit 2 fois, donc 24. Le reste, soit le nombre 5, préciserait que cette activité concernerait le domaine des enfants. Si le reste était 8, il s'agirait d'une transformation très profonde du genre de vie; avec le chiffre 9, il serait question du domaine relié à l'étranger, etc.

Cet exemple rapide, sans études, ne peut qu'encourager le lecteur à aller plus loin. C'est le souhait des auteurs.

Tableau des réponses

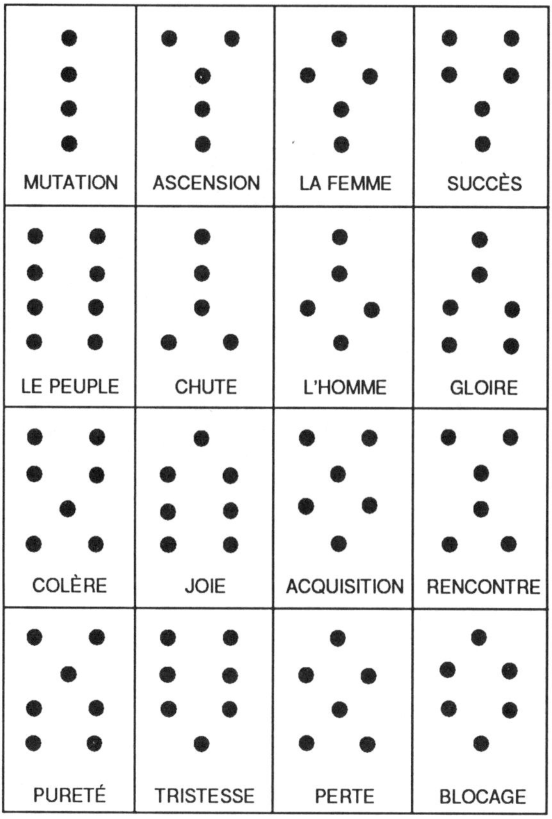

MUTATION	ASCENSION	LA FEMME	SUCCÈS
LE PEUPLE	CHUTE	L'HOMME	GLOIRE
COLÈRE	JOIE	ACQUISITION	RENCONTRE
PURETÉ	TRISTESSE	PERTE	BLOCAGE

Désignation des domaines
(traduction française)

I - Le Questionneur
II - Gains - Finances
III - Frères - Sœurs
IV - Le Foyer
V - Les Enfants
VI - Travail - Santé
VII - Le Conjoint
VIII - Mutation
IX - L'Étranger
X - Le Destin
XI - Les Amis
XII - Les Épreuves

LA TERRE ET L'HOMME

L'Homme participe aux manifestations du Cosmos et de la Terre. Comme l'arbre, il doit croître vers le haut comme vers le bas s'il veut s'équilibrer et ne pas chuter au moindre vent.

Le Cosmos influence son esprit et son âme qui le mettent en relation avec les entités cosmiques, agissant sur sa vie spirituelle. Il baigne dans les rayonnements planétaires du système solaire.

L'Homme participe également aux manifestations de la Terre par son corps physique, sa vie matérielle quotidienne. Il est une antenne verticale statique dont les vibrations s'accordent à la fois avec le Ciel et la Terre. Il est récepteur d'énergies positives et négatives.

Cette «antenne» est un lien particulier entre le Cosmos et la Terre, lien bien connu des Chinois qui l'utilisaient sous le nom de *Feng-Shui* ou science des énergies. Ce terme, *Feng-Shui,* signifie «le vent et l'eau» qui, disaient-ils, sont la clé de la Géomancie.

Il nous est donné de pouvoir traduire cette affirmation par d'autres symboles plus parlants.

Considérons que le vent est l'air en mouvement, dont la figure symbolique correspond à la lettre V et que la figure symbolique de l'eau est cette même lettre inversée.

Si nous assemblons la figure symbolique de l'air au-dessus de celle de l'eau, nous formons une figure qui ressemble à la lettre X; il y a donc deux triangles ouverts qui se joignent par la pointe.

C'est l'image de deux forces complémentaires qui se rejoignent: l'énergie cosmique qui descend à la rencontre de l'énergie tellurique. Cette image est la figure géomantique exacte de *Conjunctio*.

La Géomancie recueille la voix qui monte de notre Mère la Terre.

Elle est en harmonie avec l'Astrologie, qui traduit la voix qui descend de notre Père cosmique.

La voix des anges se mêle à celle des élémentaux.

C'est le concert d'amour du couple divin.

Le Père et la Mère qui instruisent leurs enfants!

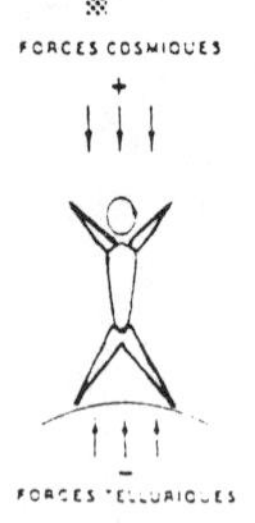

C'est également l'Homme en mouvement, debout, les jambes écartées, les bras tendus vers le ciel, formant deux triangles qui se rejoignent en lui.

La pointe du triangle des forces cosmiques, triangle du haut, déverse ses énergies au niveau de la septième vertèbre dorsale, qui a un rapport symbolique avec le signe zodiacal, en l'occurence la Balance, ainsi qu'avec les reins (centre de gravité du corps).

La pointe du triangle des forces telluriques (triangle du bas) déverse la force du feu, Serpent de la Terre, à la hauteur du sacrum. Elle forme au contact d'autres courants la force féminine Kundalini.

Cette force s'écoule le long de la moelle épinière et y rencontre le flux de la vie cosmique positive. Il en résulte une «conjonction», l'homme est alors un condensateur d'énergies et devient un transducteur rayonnant d'énergies fluidiques.

L'Homme baigne et évolue dans les énergies telluriques à la surface de la Terre. Celles-ci conditionnent en grande partie sa vie terrestre, dont généralement il se préoccupe le plus. L'interaction des énergies terrestres avec l'énergie cosmique l'intéresse moins.

Cependant, s'il veut réussir son plan de vie terrestre, il est fort utile qu'il connaisse le mystère des énergies telluriques, qui permettent de le mettre en syntonisation avec son milieu, et de le faire communier avec les forces cosmiques.

La Terre est un comme un être vivant. Elle a un feu intérieur qui irradie un corps éthérique, un corps astral et un corps mental. Elle vit et vibre comme le corps humain, mais à son rythme.

L'enseignement ésotérique nous apprend que le Christ solaire a pris possession de la Terre par le chemin du sang de Jésus, et que celle-ci est devenue son corps physique.

La Terre prend donc autant d'importance pour l'homme que le Cosmos. Non seulement elle nourrit son corps physique, mais les grands courants d'énergies qui la parcourent, agissant sur son psychique, conditionnent sa vie quotidienne et le font progresser en synchronisme avec le Cosmos.

Des forces invisibles venues du Cosmos déterminent au sein du globe des réactions électromagnétiques qui «induisent» les cerveaux et les corps et qui les influencent.

Les activités de l'Homme sont donc conditionnées particulièrement par l'ambiance terrestre de son milieu. S'il ne peut pas y échapper, tout au moins peut-il la comprendre afin de ne plus jouer à pile ou face.

C'est le but de la Géomancie que de nous permettre d'y voir clair. Le condensateur d'énergies christiques que nous foulons à nos pieds peut être relativement décrypté et nous ouvrir notre chemin.

De même que l'astrologue interroge le Ciel, le géomancien interroge la Terre. La pratique de ces deux «mancies» se perd dans la nuit des temps.

Pourquoi l'Être Suprême ne nous donnerait-il pas un moyen pour nous guider dans les méandres de notre vie terrestre? Nous permettre de savoir n'est pas une injonction; nous restons maître de nos décisions et, en plus, nous avons l'avantage d'agir ou de réagir selon notre conscience.

L'occasion nous est offerte d'exercer notre libre arbitre pour prendre nos responsabilités et ne plus nous laisser influencer par nos relations extérieures.

Remarquons que dans le mot «divination», il y a le mot «divin»; ainsi soulever un coin du voile de l'avenir, peut-être une «divinaction»? Alors nous pouvons considérer la Géomancie comme une manifestation de la volonté divine pour aider ceux qui le demandent.

N'ayons donc pas peur de savoir ce que nous avons à faire pour réussir notre vie et de pouvoir «choisir les événements plutôt que de les subir».

La Géomancie est donc l'étude de la projection de l'ambiance de notre vie **terrestre actuelle** (d'où son nom).

Elle s'exprime par des manifestations subtiles, par le déclenchement de séries de gestes suggérés par notre subconscient, et elle se concrétise par la création de figures symboliques, langage de la nature.

Sa pratique est un gage certain d'un développement de l'intuition et des connaissances, et d'une élévation spirituelle dans le service.

La Géomancie projette une généalogie de seize figures symboliques, engendrées par quatre Mères. Elles se présentent comme un tétragramme constitué par une Tête, un Cœur, un Ventre et des Pieds.

Ce sont les reproductions physiques d'entités nommément désignées, extrêmement riches en renseignements (toute forme est habitée par une entité). Ces renseignements apportent la lumière dans les douze secteurs de nos activités quotidiennes et nous permettent de ne plus jouer à pile ou face.

Comme les êtres humains, ces figures symboliques ont des relations harmoniques ou non entre elles. On observe leurs influences dans les différents domaines de notre vie de tous les jours. À nous d'en tenir compte, si nous le voulons.

Les symboles géomantiques informent, mais n'obligent pas. Ainsi donc est-il possible de prendre de bonnes décisions au bon moment, et de remettre les autres à plus tard.

La création des figures géomantiques se fait par le tracé de barres sur une feuille de papier ou, comme on le faisait autrefois, par des cailloux disposés sur le sable, ou toute autre matière. Lorsque nous créons ces figures, nous devons penser à notre question sans exercer une influence personnelle; de façon à ne pas intervenir dans le tracé. Ainsi le nombre de barres dessinées est imprévisible.

La projection de notre plan de vie actuelle englobe tout ce qui touche notre personne: notre famille, la santé de ses membres, leurs activités, leurs rapports entre eux et avec les autres, etc. C'est extraordinaire ce que l'étude de notre généalogie au travers d'un thème géomantique peut nous ouvrir comme horizons quant à nos liens génétiques.

Voici quelques exemples d'interprétations.

1) Si la figure géomantique nommée *Caput Draconis*, qui ressemble à la lettre Y symbolise une personne, elle indique l'évolution, l'élévation par acquisitions, une réceptivité enrichissante. Ce symbolisme sera détaillé et pourra aussi bien s'appliquer à une société, à un projet, à des difficultés, à des gains, à une transaction, à un métier, etc.

2) Si la figure géomantique nommée *Carcer*, qui a la forme d'un œuf, symbolise une personne, elle dénote le manque d'ouverture, l'introversion, le repli sur soi, etc. Si, par contre, elle représente les affaires, il s'agira de stérilité; c'est l'image d'un espace clos, d'une prison; le destin est opposé à tout changement. C'est le blocage d'une situation, des gains, etc.

3) La figure géomantique nommée *Fortuna Major*, qui a la forme d'une coupe, d'un calice, symbolise le succès. Elle est debout prête à se remplir: c'est la fortune très bien nuancée selon qu'elle est remplie à moitié ou complètement. L'harmonie ou non entre son élément Terre et celui de la case où elle se trouve donnera la nuance.

Le symbolisme des figures géomantiques s'applique à toutes les circonstances de notre vie. C'est un langage, une représentation des lois de la nature qui ne trompe pas. Apprendre à les interpréter, et à les respecter, c'est comprendre les lois qui nous régissent.

Les seize figures géomantiques se répartissent dans seize cases avec lesquelles elles sont en affinité. Cet ensemble constitue un thème géomantique. Douze de ces figures sont considérées comme le Ciel géomantique. Les quatre autres représentent le Tribunal terrestre.

Le Ciel géomantique est le panorama de notre vie sur Terre, qui est le reflet de... l'autre! C'est celui qui vient en premier dans nos principales préoccupations.

Le Tribunal est constitué par un Témoin, figure de notre passé et un autre Témoin, figure de notre avenir qui en est la conséquence.

Puis un Juge essaye de combiner le passé avec les conséquences futures de notre vie présente.

Se plonger dans l'étude de la Géomancie, c'est entrer de plain-pied dans le monde du symbolisme, où toute révélation devient possible. Celui ou celle qui cherche trouvera.

CORRECTIONS DES AUTEURS

Comme beaucoup de personnes ayant étudié la Géomancie, nous avons constaté un manque de cohésion dans les différents enseignements et des contradictions fréquentes. Ce fait est probablement causé par des erreurs provenant de traductions successives, puis de quelques auteurs qui y ont apporté une touche personnelle; mais il y a aussi des erreurs «volontaires» a écrit Robert Lamblain. Une chose est sûre: tout n'a pas été dit et une certaine vérité a été occultée volontairement.

Nous nous sommes penchés sur certaines anomalies, selon nous, et nous avons rétabli logiquement certaines choses données comme acquises.

Ainsi, la figure *Albus* est l'inverse de celle de *Rubeus*; la figure *Albus* est symboliquement celle de *Rubeus*. Il s'ensuit une erreur dans les éléments.

Rubeus est un signe de Terre et non de Feu. Nous sommes en Géomancie où l'élément principal est la Terre et non pas en astrologie où l'élément principal est le Ciel.

Rubeus = rubis = pierre = rouge; la partie supérieure de la figure est un carré = Terre.

Albus est un signe d'Air, la partie supérieure de la figure est un triangle ouvert vers le haut. Ce redressement est conforme au symbolisme de toutes les autres figures.

De plus, il n'est pas logique que la Maison I soit pour tout le monde la première Mère: ceci empêche l'individualité de s'exprimer.

Nous préférons utiliser un dix-septième jet donnant par réduction de son chiffre de un à douze la position de la Maison I, qui devient mobile. Le questionneur prend donc sa place dans l'une des douze cases. À un autre moment, il se trouvera dans la case en harmonie avec sa nouvelle ambiance.

Nous considérons que le thème s'inscrit dans une roue, la roue de la vie qui tourne... jusqu'à sa fin, en numérotant successivement les douze cases sans rupture. Ainsi, la case 9 est le résultat des cases 7 et 8.

Ainsi les douze Maisons se déplacent le long de ces cases selon l'atmosphère influencielle du moment; rien n'est figé. C'est respecter le mouvement naturel du flux et du reflux, sans coupure.

Un thème géomantique est le centre d'un monde prodigieux où la pensée humaine communie avec le Cosmos, et cette pensée est une énergie. La prière constitue un stimulant pour la faire jaillir. C'est la «nourriture des dieux». C'est la raison pour laquelle il est conseillé de prier avant de faire les jets et de poser la question ensuite, sans trop se concentrer sur celle-ci pour éviter d'influencer inconsciemment la réponse.

Nous pensons que les réponses données par la Géomancie ne sont que des influences en rapport avec notre plan de vie, ou celui de la personne pour laquelle le thème est créé. Ce sont des possibilités actuelles conseillées, et non pas des prédictions. Elles ne nous sont révélées que pour éclairer notre situation et nous permettre d'agir ou de réagir selon notre propre jugement. Ces possibilités nous donnent l'occasion de ne pas décider à l'aveuglette et de prendre les bonnes décisions au bon moment.

La Terre est le promenoir indifférent des êtres qui l'habitent.

Ne sous-estimons pas ce qu'elle nous apporte.

CRÉATION D'UN THÈME GÉOMANTIQUE

Le thème géomantique se compose de seize figures qui se créent par seize jets de barres tracées sur une feuille de papier selon le modèle proposé ici. Chaque figure a reçu un nom qui résume ses principales propriétés.

Les barres sont tracées dans un recueillement, concentré sur la question posée, calmement dans le silence. C'est extrêmement important, car le tracé de ces barres constitue la projection de la pensée. Celle-ci va interférer dans l'invisible avec les phénomènes vibratoires du plan de vie du consultant.

Les jets se font soit de la gauche vers la droite ou en sens contraire comme nous le verrons plus loin.

Le nombre de barres de chaque jet est comptabilisé; on les réunit par deux pour en faciliter le décompte.

Si le nombre est un chiffre pair, il se traduit par deux points; s'il est impair, il se traduit par un seul point.

Chaque groupe de quatre jets forme une figure géomantique appelée «Mère». Elles prennent place dans les quatre premières cases du thème.

Chaque figure se compose de quatre parties. Le résultat du premier jet constitue la Tête de la figure.

Le résultat du deuxième jet forme le Cœur de la figure.

Le résultat du troisième jet compose le Ventre de la figure.

Le quatrième jet formera les Pieds de la figure.

•	TÊTE
• •	CŒUR
•	VENTRE
• •	PIEDS

Création des Mères

Dans l'exemple de la feuille de jets, la première figure représentant:

La première Mère est	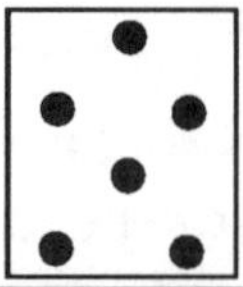 • • • • • •	*Amissio*
La deuxième Mère est	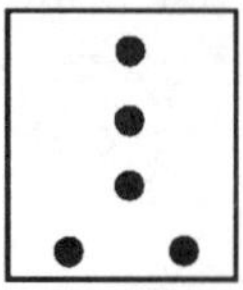 • • • • •	*Cauda Draconis*
La troisième Mère est	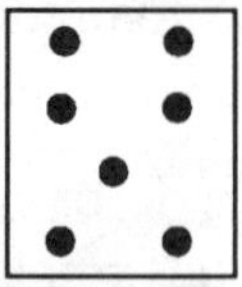 • • • • • • •	*Rubeus*
La quatrième Mère est	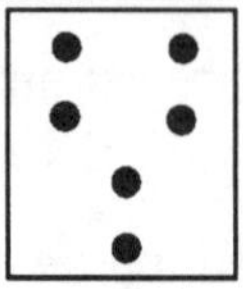 • • • • • •	*Fortuna Major*

Reportons ces quatre figures dans les cases correspondantes du thème géomantique vierge. La première Mère dans la case 1, la deuxième Mère dans la case 2, etc.

Création des Filles

La première Fille est créée par les Têtes des quatre Mères, soit:

Première Mère
Deuxième Mère
Troisième Mère
Quatrième Mère

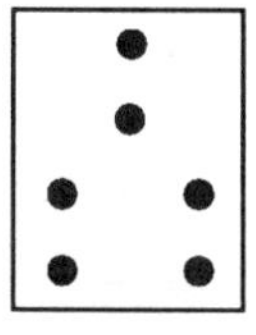

= *Fortuna Minor*
qui prend place dans la case 5.

La deuxième Fille est créée par les Cœurs des quatre Mères, soit:

Première Mère
Deuxième Mère
Troisième Mère
Quatrième Mère

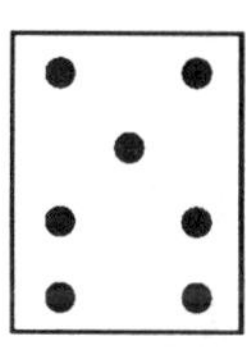

= *Albus*

La troisième Fille est créée par les Ventres des quatre Mères, soit:

Première Mère
Deuxième Mère
Troisième Mère
Quatrième Mère

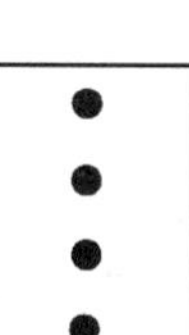

= *Via*

La quatrième Fille est créée par les Pieds des quatre Mères, soit:

Première Mère
Deuxième Mère
Troisième Mère
Quatrième Mère

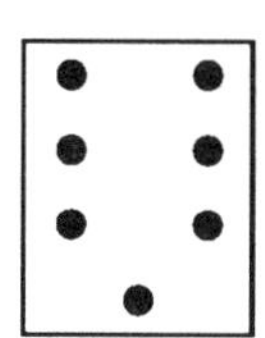

= *Tristitia*

Création des Nièces

Elles sont issues des quatre Mères et des quatre Filles par addition géomantique des points des Mères et des Filles, deux par deux.

Principe de l'addition géomantique

1 point + 1 point = 2 points (chiffre pair)

ou

2 points + 2 points = 4 points (chiffre pair)

1 point + 2 points = 3 points (chiffre impair)

La première Nièce est créée par l'addition des points de la première Mère avec les points de la deuxième Mère, soit:

Première Mère (case 1) + deuxième Mère (case 2) = première Nièce (case 12)

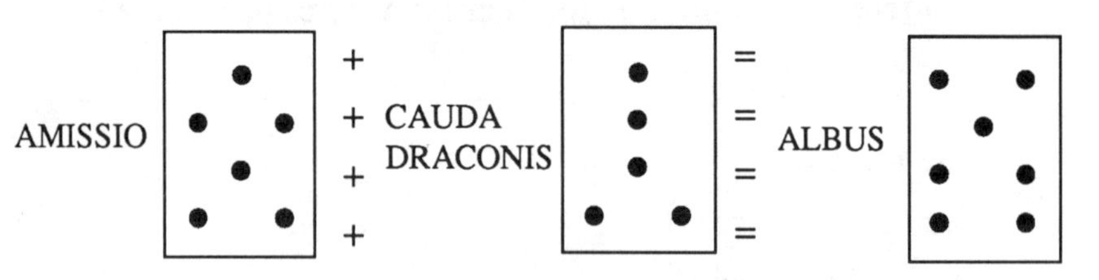

La deuxième Nièce est créée par l'addition des points de la troisième Mère avec les points de la quatrième Mère, soit:

Troisième Mère (case 3) + Quatrième Mère (case 4) = Deuxième Nièce (case 11)

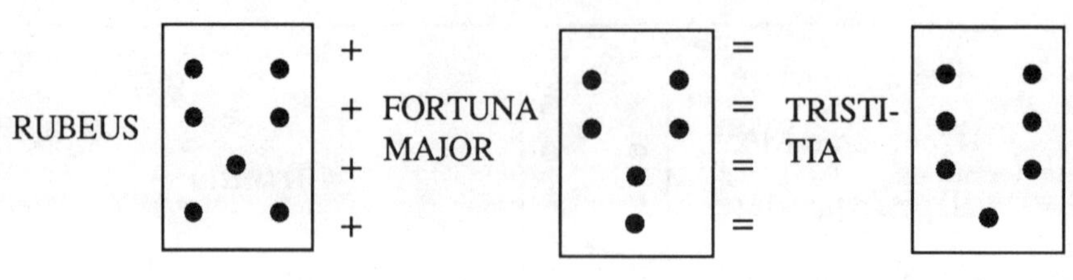

La troisième Nièce est créée par l'addition des points de la première Fille avec les points de la deuxième Fille, soit:

Première Fille (case 5) + Deuxième Fille (case 6) = Troisième Nièce (case 10)

FORTUNA MINOR + ALBUS = LÆTITIA

La quatrième Nièce est créée par l'addition des points de la troisième Fille avec les points de la quatrième Fille, soit:

Troisième Fille (case 7) + Quatrième Fille (case 8) = Quatrième Nièce (case 9)

VIA + TRISTITIA = CAUDA DRACONIS

Création du Tribunal terrestre

Le Témoin Droit est créé par l'addition des points de la première Nièce avec les points de la deuxième Nièce, soit:

Première Nièce (case 12)+ Deuxième Nièce (case 11) = Témoin Droit (case 13)

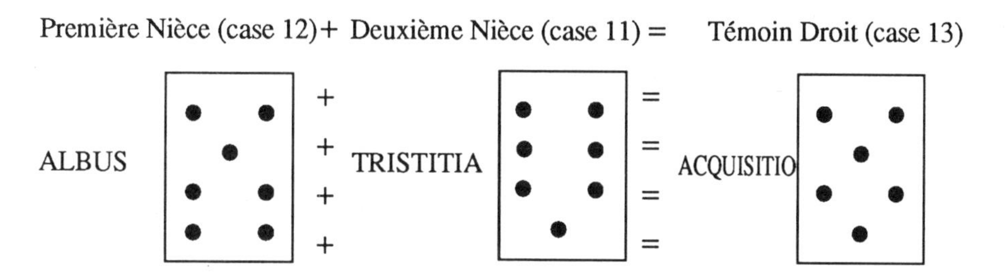

Le Témoin Gauche est créé par l'addition des points de la troisième Nièce avec les points de la quatrième Nièce, soit:

Troisième Nièce (case 10) + Quatrième Nièce (case 9) = Témoin Gauche (case 14)

LÆTITIA + CAUDA DRACONIS = CONJUNCTIO

Le Juge est créé par l'addition des points des deux Témoins, soit:

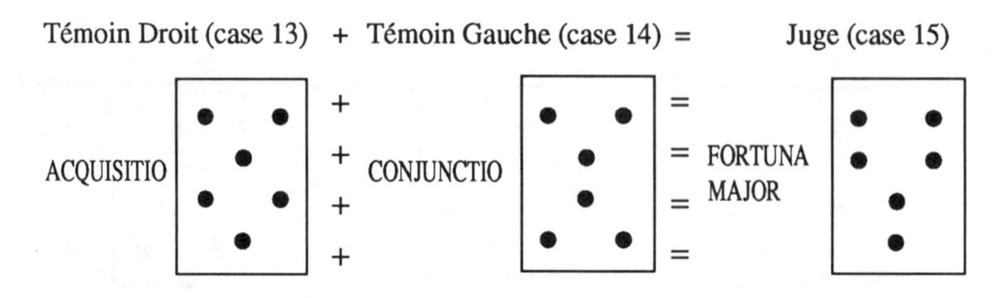

La Sentence est créée par l'addition des points du Juge avec les points de la figure du Questionneur, c'est-à-dire la Maison I lorsqu'elle sera définie.

Mise en place des Maisons dans l'exemple donné

La première Maison est définie par le nombre de barres projetées par un jet supplémentaire (dix-septième jet). Dans notre exemple, il y a dix-sept barres. Comme le nombre de cases du thème (le Ciel géomantique) n'est pas supérieur à 12, il y a lieu de réduire le nombre de barres à un chiffre ne dépassant pas 12. Soit 17 - 12 = 5, numéro de la case où se trouvera la première Maison. La deuxième Maison se situera dans la case suivante, soit la case 6, etc.

Sentence=

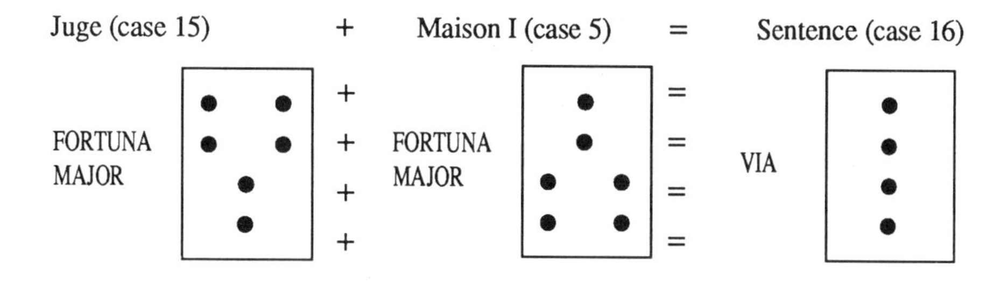

Modèle d'une feuille de jets

HHHHH/	=	11 (chiffre impair)	=	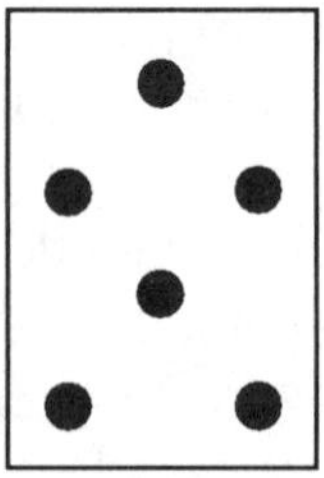 •	AMISSIO
HHHH	=	8 (chiffre pair)	=	• •	
HHHHHHH/	=	15 (chiffre impair)	=	•	
HHHHHH	=	12 (chiffre pair)	=	• •	
H/	=	3 (chiffre impair)	=	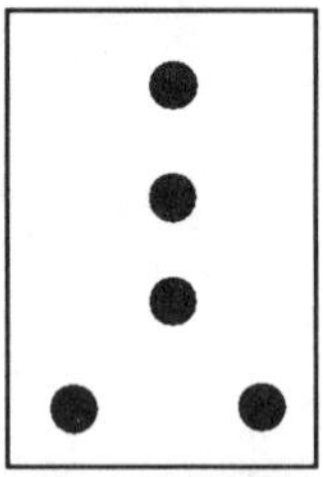 •	CAUDA DRACONIS
HHHHH/	=	11 (chiffre impair)	=	•	
HHHHHHH/	=	15 (chiffre impair)	=	•	
HHHHHH	=	12 (chiffre pair)	=	• •	
HHHHHH	=	12 (chiffre pair)	=	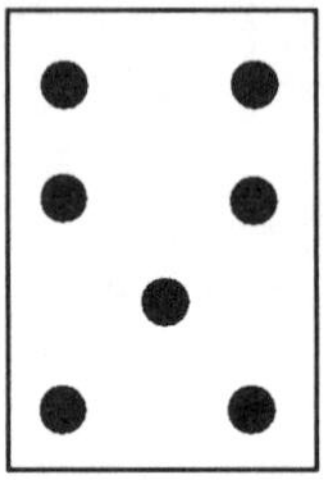 • •	RUBEUS
HHHHHHH	=	14 (chiffre pair)	=	• •	
HHHH/	=	9 (chiffre impair)	=	•	
HHHHHHH	=	14 (chiffre pair)	=	• •	
HHHHHHHHHH	=	20 (chiffre pair)	=	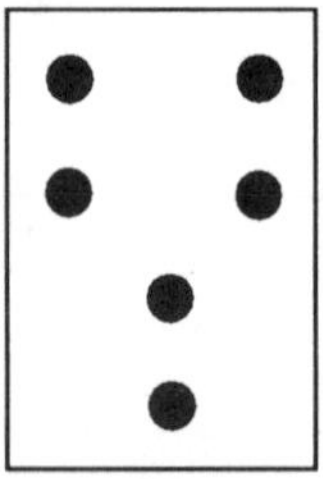 • •	FORTUNA MAJOR
HHHHHH	=	12 (chiffre pair)	=	• •	
HHHHHHH/	=	15 (chiffre impair)	=	•	
HHHHH/	=	11 (chiffre impair)	=	•	
		194			

Dix-septième jet:

HHHHHHHH/ = 17 - 12 = 5, numéro de la case correspondant au domicile de la Maison I

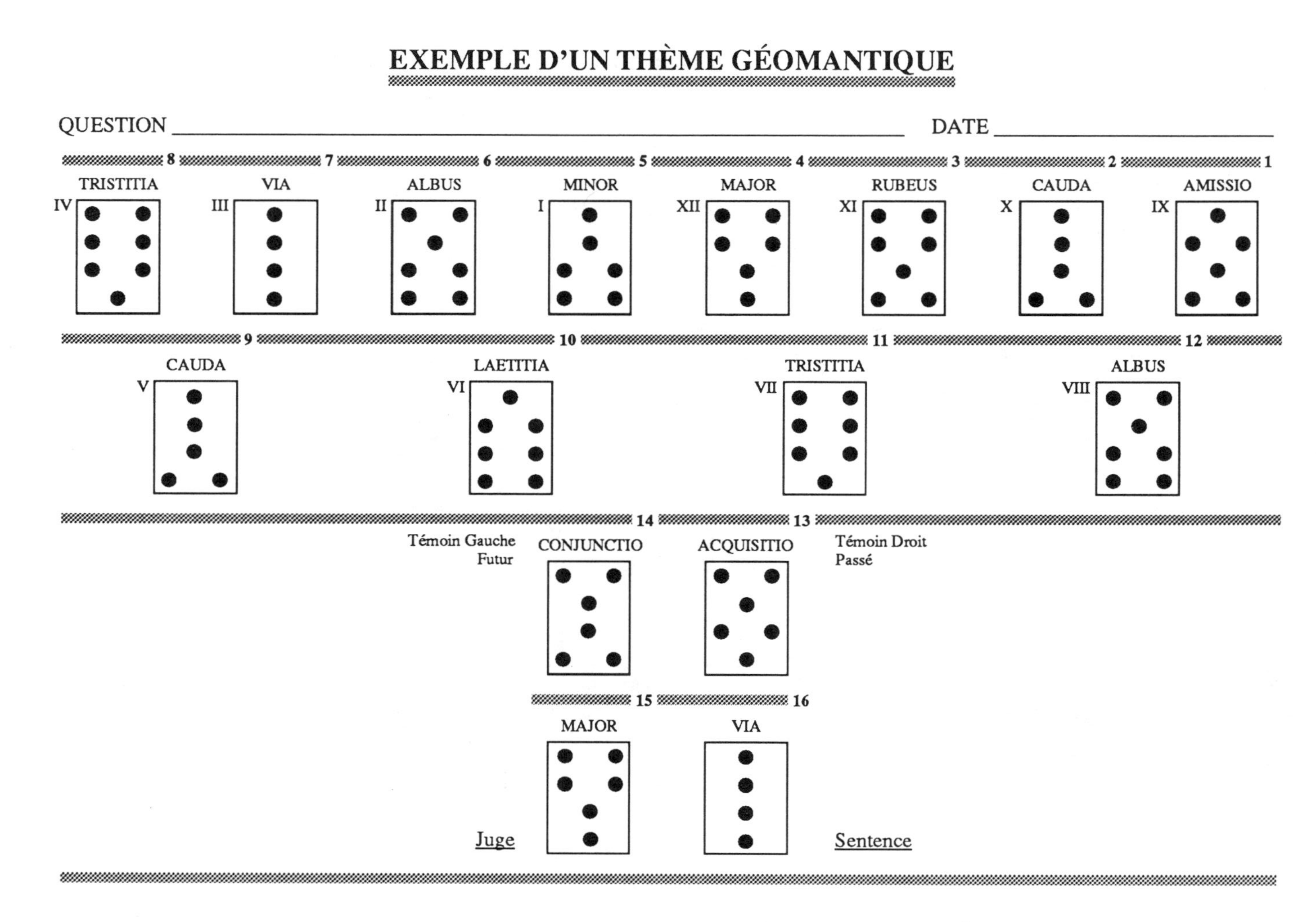
EXEMPLE D'UN THÈME GÉOMANTIQUE
QUESTION
DATE
8
7
6
5
4
3
2
1
IV TRISTITIA
III VIA
II ALBUS
I MINOR
XII MAJOR
XI RUBEUS
X CAUDA
IX AMISSIO
9
10
11
12
V CAUDA
VI LAETITIA
VII TRISTITIA
VIII ALBUS
14
13
Témoin Gauche
Futur
CONJUNCTIO
ACQUISITIO
Témoin Droit
Passé
15
16
MAJOR
VIA
Juge
Sentence

Les jets des barres

Lorsqu'on a l'intention de construire un thème géomantique dans le but d'obtenir une réponse à la question posée, on sollicite cette réponse en allant la chercher dans la lumière, en remontant la course du soleil, en allant à sa rencontre vers l'est, d'où elle nous arrive.

Dans ce cas, les jets devront être tracés de gauche à droite, étant donné qu'on est supposé regarder vers le nord.

Lorsqu'on construit un thème géomantique influenciel, on cherche à s'imprégner des influences qui nous baignent, au présent.

Dans ce cas, les jets devront commencer à droite et suivre le trajet apparent du Soleil, nous tenir dans sa Lumière.

Autrefois, la Géomancie se pratiquait en faisant des trous dans la terre ou avec des cailloux ou autres objets naturels.

Aujourd'hui, il est plus facile de projeter des traits sur du papier; de préférence en employant un crayon à mine de plomb et en bois. Il n'y a pas d'autre moyen pour consulter par correspondance.

Personnellement, nous utilisons de petits cailloux blancs, conservés dans un bol en bois. Au lieu de tracer des barres, nous formons quatre rangées de petits tas de cailloux en commençant, selon le cas, à gauche ou à droite, puis de haut en bas.

Ce procédé est plus rapide que le tracé des barres et ce, sans nuire au résultat.

Feuille de renseignements
Pour travail par correspondance

Prénom et nom: Date:

Adresse:

Date et année de naissance:

Renseignements supplémentaires sur le Consultant:

Célibataire:

Marié (e):

Veuf (ve):

Divorcé (e):

Profession:

Enfant (s):

Père vivant:

Mère vivante:

Frère (s):

Sœur (s):

Autres renseignements jugés utiles:

Répondre à ces questions est nécessaire, car elles permettent une analyse plus précise, écartant les risques d'une interprétation erronée.

L'analyste n'est pas un voyant, ni un magicien, il se base sur des données précises pour cerner au mieux les problèmes posés.

Cases et Maisons

Le thème géomantique se compose de seize cases. Chacune d'elles est le «domicile au repos» d'une des seize figures géomantiques. C'est leur «chez-soi» auquel elles restent attachées. Il faudra donc toujours en tenir compte lorsqu'on interprétera la figure qui viendra l'occuper.

Les douze premières cases occupées par les Mères, les Filles et les Nièces constituent le Ciel géomantique, dans lequel viendront se situer les douze Maisons du questionneur.

Les Maisons sont des domaines dans lesquels sont répertoriées nos multiples occupations terrestres, telles qu'elles ont été classées par la tradition. La désignation de leur contenu est purement symbolique et doit toujours être adaptée à la question ou à la personnalité du questionneur.

La Maison I sera déterminée par un dix-septième jet, dont le nombre de points, réduit à un chiffre de un à douze, désignera le numéro de la case du Ciel géomantique où elle prendra place.

Exemple: Soit un jet de 21 points, moins 12 = 9. La Maison I sera la figure occupant la case 9, la Maison II sera représentée par la figure occupant la case 10, etc. La Maison V sera représentée par la case 1, etc.

Les quatre dernières cases géomantiques, sous le Ciel géomantique, constituent le Tribunal terrestre. Chaque case est sous l'influence d'un des quatre éléments: Terre, Eau, Air, Feu.

En Géomancie, ils se succèdent dans l'ordre contraire à celui enseigné en astrologie. C'est pourquoi la case 1 correspond à la Terre et non au Feu-Bélier. Le Ciel géomantique ne correspond pas au zodiaque.

Ce qui qualifie une figure, c'est surtout sa dominante élémentaire: Feu, Air, etc. Il faudra toujours en tenir compte avec l'élément de la case où elle se trouve et nuancer son interprétation.

THÈME GÉOMANTIQUE VIERGE

QUESTION ______________________ DATE ______________

8	7	6	5	4	3	2	1
Feu	Air	Eau	Ter	Feu	Air	Eau	Ter
Ter	Ter	Ter	Ter	Ter	Ter	Ter	Ter
Eau	Eau	Eau	Eau	Eau	Eau	Eau	Eau
Air	Air	Air	Air	Air	Air	Air	Air
Feu	Feu	Feu	Feu	Feu	Feu	Feu	Feu
Mob	Mob	Mob	Mob	Mob	Mob	Mob	Mob
Com	Com	Com	Com	Com	Com	Com	Com
Fix	Fix	Fix	Fix	Fix	Fix	Fix	Fix
Ent	Ent	Ent	Ent	Ent	Ent	Ent	Ent
Sor	Sor	Sor	Sor	Sor	Sor	Sor	Sor

9	10	11	12
Ter	Eau	Air	Feu
Ter	Ter	Ter	Ter
Eau	Eau	Eau	Eau
Air	Air	Air	Air
Feu	Feu	Feu	Feu
Mob	Mob	Mob	Mob
Com	Com	Com	Com
Fix	Fix	Fix	Fix
Ent	Ent	Ent	Ent
Sor	Sor	Sor	Sor

Témoin Gauche
Futur

Témoin Droit
Passé

14	13
Eau	Ter
Ter	Ter
Eau	Eau
Air	Air
Feu	Feu
Mob	Mob
Com	Com
Fix	Fix
Ent	Ent
Sor	Sor

15	16
Air	Feu
Ter	Ter
Eau	Eau
Air	Air
Feu	Feu
Mob	Mob
Com	Com
Fix	Fix
Ent	Ent
Sor	Sor

Nombre de :

Terre : ______
Eau : ______
Air : ______
Feu : ______
Mob : ______
Com : ______
Fix : ______
Ent : ______
Sor : ______

Passations

____
____
____
____
____

Aspects intéressantes :

Cie 0 M. ______________
✳ 1 M. ______________
□ 2 M. ______________
△ 3 M. ______________
⟍ 5 M. ______________

LES ÉLÉMENTS

Les éléments étaient considérés par les anciens comme constitutifs de tous les corps dans l'Univers. Ils sont au nombre de quatre: la Terre, l'Eau, le Feu, l'Air; c'est l'ordre géomantique, la Terre étant prise comme point de départ.

Ils sont représentés par des symboles. Le symbolisme est la clé de l'univers mental, comme il est la clé des textes sacrés.

Le rôle des quatre éléments est extrêmement important dans l'interprétation géomantique.

Dans le thème géomantique, la majorité des figures suivantes donneront la dominante, selon la question posée ou le fil conducteur.

Figures de Terre: matérialité, stabilité.
Figures d'Eau: adaptation, passivité.
Figures d'Air: intelligence, impondérabilité.
Figures de Feu: activité, spiritualité.

Et mieux encore en tenant compte des développements suivants.

Interprétation symbolique des quatre éléments

La Terre: principe passif; aspect féminin; obscurité; tendance descendante; densité; fixation; condensation; elle supporte; elle est femme et mère; soumission; douceur; fermeté paisible et durable; humidité; fécondité; matrice qui conçoit les sources, les minéraux, les métaux.

L'Eau: source de vie; moyen de purification; centre de régénération; sensibilité; émotivité; informel; germe des germes; promesses de développement; mère; matrice; source de toute chose; fertilisation; symbole du sang; force vitale fécondante.

Le Feu: purification; régénération; mort et renaissance; esprit; ardeur; enthousiasme; connaissance intuitive; amour; passion; porte les choses à l'état subtil; élément moteur qui anime, transforme, fait évoluer.

L'Air: élément actif; subtile expansion; spiritualisation; agitation; instabilité; inconstance; purification; fructification; liberté; milieu propre de la lumière, de l'envol, du parfum, de la couleur, des vibrations (acoustiques).

Interprétation symbolique des éléments

A- Dans les figures géomantiques

Chaque figure géomantique porte l'empreinte d'un des quatre éléments qu'elle rayonne. C'est la partie supérieure de la figure qui détermine l'élément constitutif, en vertu du symbolisme suivant:

Quatre points disposés en carré symbolisent la Terre.

Trois points en triangle ouvert vers le bas symbolisent l'Eau qu'on verse, ce qui descend, l'expansion vers le bas.

Deux points l'un au-dessus de l'autre symbolisent la flamme, le Feu.

Trois points en triangle ouvert vers le haut symbolisent l'Air, l'expansion vers le haut.

B- Dans les cases géomantiques

Chaque case est en rapport avec un des quatre éléments, ainsi qu'il est démontré dans le Tableau des figures classées par éléments, à la page 54.

Ainsi, la case 1 correspond à la Terre, la case 2 à l'Eau, la case 3 à l'Air, la case 4 au Feu, la case 5 à la Terre, etc. L'élément imprègne la case, lui donne une qualité qui influencera la figure venant y prendre place.

Les éléments s'accordent ou s'opposent. Il y a harmonie ou disharmonie entre eux.

Les éléments qui s'accordent sont:

La Terre avec l'Eau qui la pénètre.
L'Eau avec la Terre qu'elle pénètre.
L'Air avec le Feu qui l'attise.
Le Feu avec l'Air qui l'active.

Les éléments qui s'opposent sont:

La Terre avec l'Air et le Feu.
L'Eau avec l'Air et le Feu.
L'Air avec l'Eau et la Terre.
Le Feu avec l'Eau et la Terre.

C'est ainsi qu'une figure occupant une case dont l'élément est en affinité avec le sien va renforcer sa nature, va amplifier ce qu'elle peut donner, ceci dans la mesure de l'harmonie des éléments entre eux (voir tableau p. 45).

Si la figure est favorable, tout son côté positif sera:

amplifié, très bon si les éléments en présence sont complémentaires, tels que Terre-Eau ou Air-Feu;

normal, bon si les éléments en présence sont identiques, tels que Eau-Eau ou Feu-Feu;

inhibé, assez bon dans le cas de disharmonie entre les éléments, tels que Terre-Air ou Eau-Feu.

Si la figure est défavorable, tout son côté négatif sera:

amplifié, très fort si les éléments en présence sont complémentaires, tels que Air-Feu ou Eau-Terre.

fort si les éléments en présence sont identiques, tels que Terre-Terre ou Air-Air.

affaibli, diminué si les éléments en présence sont contraires, tels que Feu-Terre ou Air-Eau.

Tableau des figures élémentaires
Par ordre alphabétique

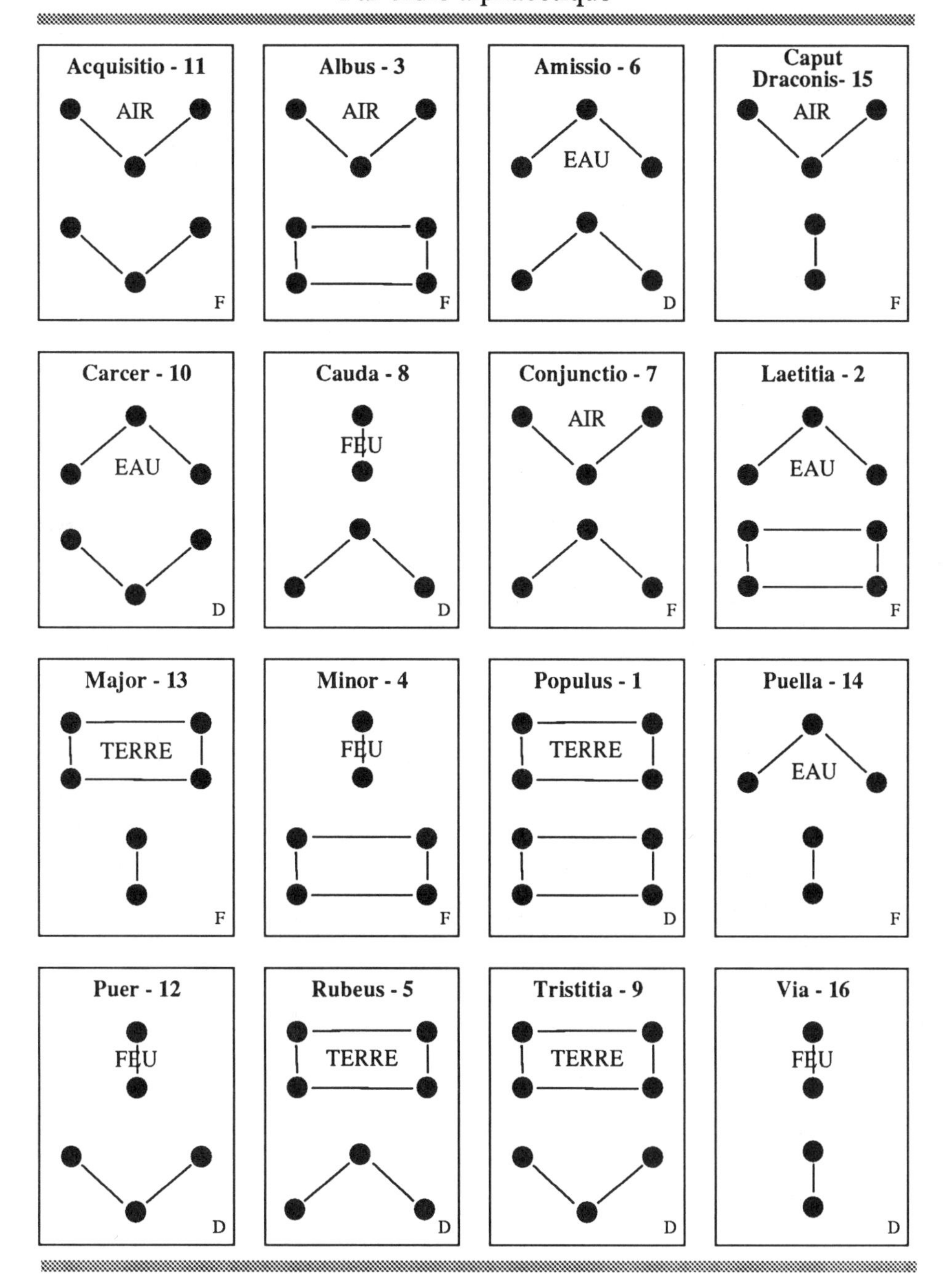

Tableau des figures géomantiques
par ordre alphabétique

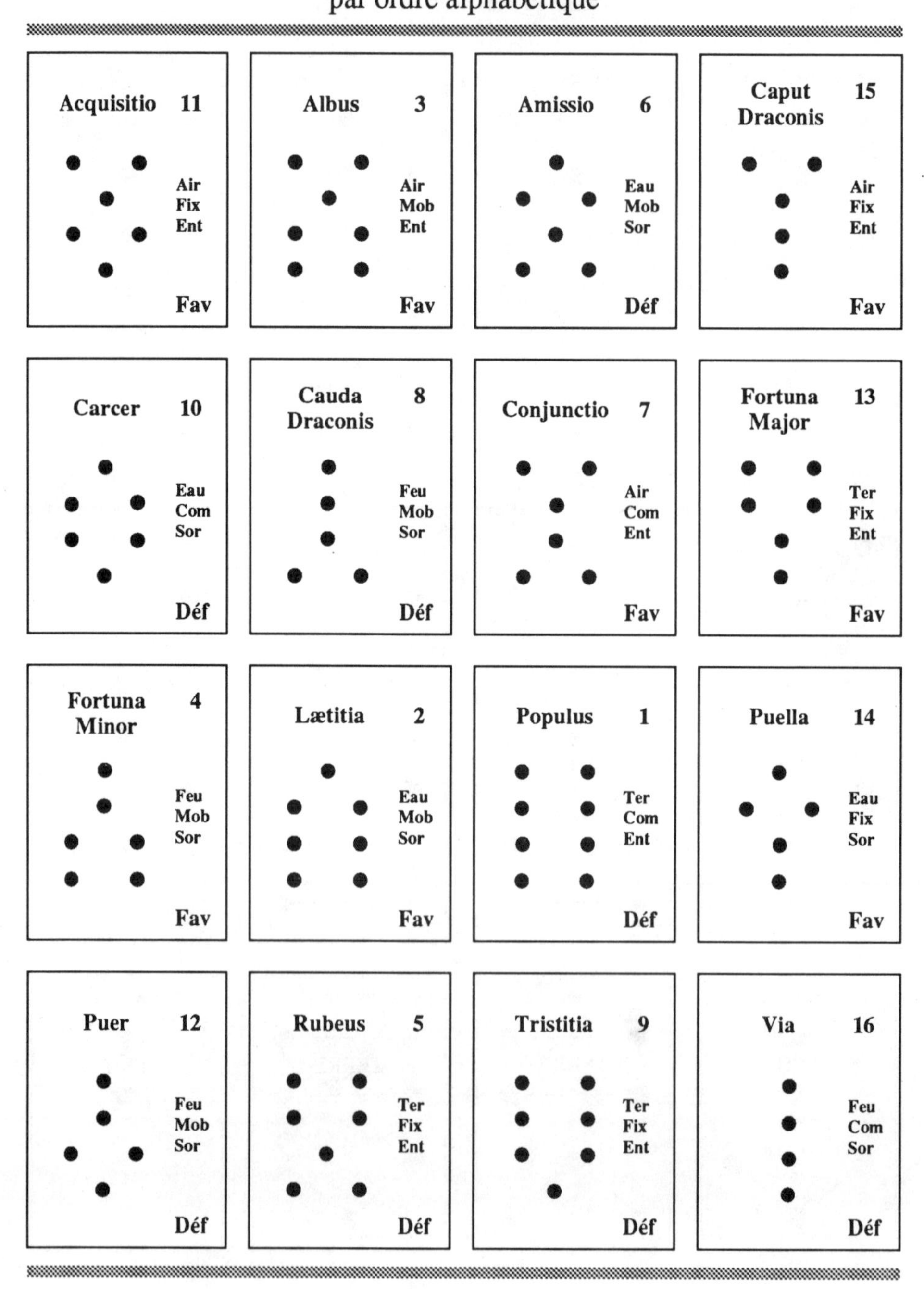

Mode d'action des figures

Les figures peuvent être:

fixes et conférer la stabilité; ce sont celles qui comportent deux points à la tête et un point aux pieds, et celles qui ont davantage de points dans la partie supérieure (tête et cœur).

mobiles et indiquer l'instabilité; ce sont celles qui comportent un point à la tête et deux points aux pieds, et celles qui ont davantage de points dans la partie inférieure (ventre et pieds).

communes et influencées par les deux figures qui les encadrent, plus particulièrement par celle qui les précède. Elles comportent le même nombre de points dans chacune de leur moitié; elles sont symétriques. Leur tête est identique à leurs pieds.

entrantes avec un sens de solidité et d'ancrage. Leur tête comporte deux points, ce qui correspond à la nuit.

sortantes avec un sens de légèreté, de départ. Leur tête comporte un point.

Les actions entrantes et sortantes des figures se précisent, se combinent avec leur caractère de fixité et de mobilité.

Une figure est surtout qualifiée en fonction de sa provenance.

Exemple: une figure favorable provenant d'une figure défavorable et d'une figure favorable indique un retard ou des problèmes difficiles à résoudre.

Exemple: une figure favorable provenant de deux figures défavorables indiquera que la chose prévue est possible mais risque d'être perdue.

Exemple: une figure défavorable provenant de deux figures favorables indiquera que la chose prévue finira par aboutir.

Il s'agit des figures obtenues par couplage géomantique. Telles que celles situées en cases 9, 10, 11, 12, 13, 14, 15 et 16 du thème géomantique.

LES ASPECTS

Les aspects, ce sont les influences qui relient les figures géomantiques entre elles.

Comme les êtres humains ont des relations harmonieuses ou non, il en est de même pour les figures géomantiques.

Selon la place qu'elles occupent l'une par rapport à l'autre, leur action à distance est bénéfique ou maléfique.

L'aspect de compagnie complète la signification d'une figure par l'influence des deux figures qui l'encadrent.
«Dis-moi qui tu fréquentes, je te dirai qui tu es.»

L'aspect sextile relie deux figures séparées par **une** autre figure. Il appuie, aide.

L'aspect trigone relie deux figures séparées par **trois** autres figures. Il aide davantage que le sextile; c'est la possibilité d'extension, d'épanouissement.

L'aspect cadrat ou carré relie deux figures séparées par **deux** autres figures. Ce sont des difficultés à surmonter; c'est le ralentissement.

L'aspect d'opposition relie deux figures séparées par **cinq** autres figures. Ce sont des obstacles, des problèmes plus ou moins faciles à résoudre selon la qualité de la figure en opposition.
Il en résulte des modifications, des limitations ou des transformations; parfois, il arrive que les deux figures se complètent.

Note: Dans le sens direct, l'action se situe sur le plan à venir, extérieur, intellectuel ou matériel et, dans le sens indirect, rétrograde, l'action est plus particulièrement sensible sur le plan intérieur, affectif ou psychique et du passé.

Tableau des figures classées par symboles

Les figures géomantiques sont des symboles complexes. On remarque dans chacune d'elles l'un des quatre éléments: Terre, Eau, Air, Feu dans la partie supérieure de la figure.

Si on les classe dans l'ordre géomantique des éléments, soit Terre, Eau, Air, Feu, en commençant par la plus complète, *Populus*, on a:

Terre	Eau	Air	Feu
Populus	*Lætitia*	*Albus*	*Fortuna Minor*
● ●	●	● ●	●
● ●	● ●	●	●
● ●	● ●	● ●	● ●
● ●	● ●	● ●	● ●

Nous remarquons que la partie inférieure de chacune des figures est constituée par le symbole Terre.

Continuons:

Terre	Eau	Air	Feu
Rubeus	*Amissio*	*Conjunctio*	*Cauda Draconis*
● ●	●	● ●	●
● ●	● ●	●	●
●	●	●	●
● ●	● ●	● ●	● ●

Nous remarquons que la partie inférieure de chacune des figures est constituée par le symbole Eau.

Continuons:

Terre	Eau	Air	Feu
Tristitia	*Carcer*	*Acquisitio*	*Puer*
● ●	●	● ●	●
● ●	● ●	●	●
● ●	● ●	● ●	● ●
●	●	●	●

La moitié inférieure de chacune des figures est constituée par le symbole Air.

Continuons:

Terre	Eau	Air	Feu
Fortuna Major	*Puella*	*Caput Draconis*	*Via*
● ●	●	● ●	●
● ●	● ●	●	●
●	●	●	●
●	●	●	●

Nous constatons encore une fois que la partie inférieure de chacune des figures est constituée par le symbole Feu.

Récapitulons:

Terre	Eau	Air	Feu	Terre	Eau	Air	Feu
Populus	*Lætitia*	*Albus*	*Fortuna Minor*	*Rubeus*	*Amissio*	*Conjunctio*	*Cauda Draconis*
● ● ● ●	● ● ●	● ● ●	● ●	● ● ● ●	● ● ●	● ● ●	● ●
● ● ● ●	● ● ● ●	● ● ● ●	● ● ● ●	● ● ●	● ● ●	● ● ●	● ● ●
Terre	Eau	Air	Feu	Terre	Eau	Air	Feu
Tristitia	*Carcer*	*Acquisitio*	*Puer*	*Fortuna Major*	*Puella*	*Caput Draconis*	*Via*
● ● ● ●	● ● ●	● ● ●	● ●	● ● ● ●	● ● ●	● ● ●	● ●
● ● ●	● ● ●	● ● ●	● ● ●	● ●	● ●	● ●	● ●

Nous voyons par ce classement que chaque figure a sa place par rapport aux autres, que cette place est bien personnelle dans ce groupement.

En effet, nous ne pouvons intervertir deux figures de même signe élémentaire sans détruire le bon ordre des parties inférieures de celles-ci.

Ainsi, *Albus* ne peut pas prendre la place de *Conjunctio* ou d'Acquisitio, ces figures étant deux signes d'Air, car leurs parties inférieures seraient en disharmonie.

De même, *Rubeus* ne peut pas prendre la place d'une autre figure de Terre sans détruire les groupes élémentaires que constituent les parties inférieures des figures.

Le groupe des seize figures constitue un thème géomantique fixe, où chaque figure est à sa place. Ainsi, on peut les incorporer dans les seize cases d'un thème. Elles s'imprégneront chacune des caractéristiques de la figure occupante.

Cet ordre sera brisé lorsque les figures se déplaceront dans les cases sous les influences du moment, mais elles resteront liées à leur case d'origine (comme un immigrant pense toujours à son pays et est sensible à ce qui s'y passe).

Les figures subissent donc à distance les effets de la figure qui occupe leur case d'origine.

Il sera donc souvent utile d'en tenir compte dans l'interprétation de ces influences. C'est la raison pour laquelle nous avons indiqué en chiffres arabes le numéro de la case de référence pour chaque figure.

Terre	**Eau**	**Air**	**Feu**
1 *Populus*	2 *Lætitia*	3 *Albus*	4 *Fortuna Minor*
5 *Rubeus*	6 *Amissio*	7 *Conjunctio*	8 *Cauda Draconis*
9 *Tristitia*	10 *Carcer*	11 *Acquisitio*	12 *Puer*
13 *Fortuna Major*	14 *Puella*	15 *Caput*	16 *Via*

Tableau des figures classées par éléments

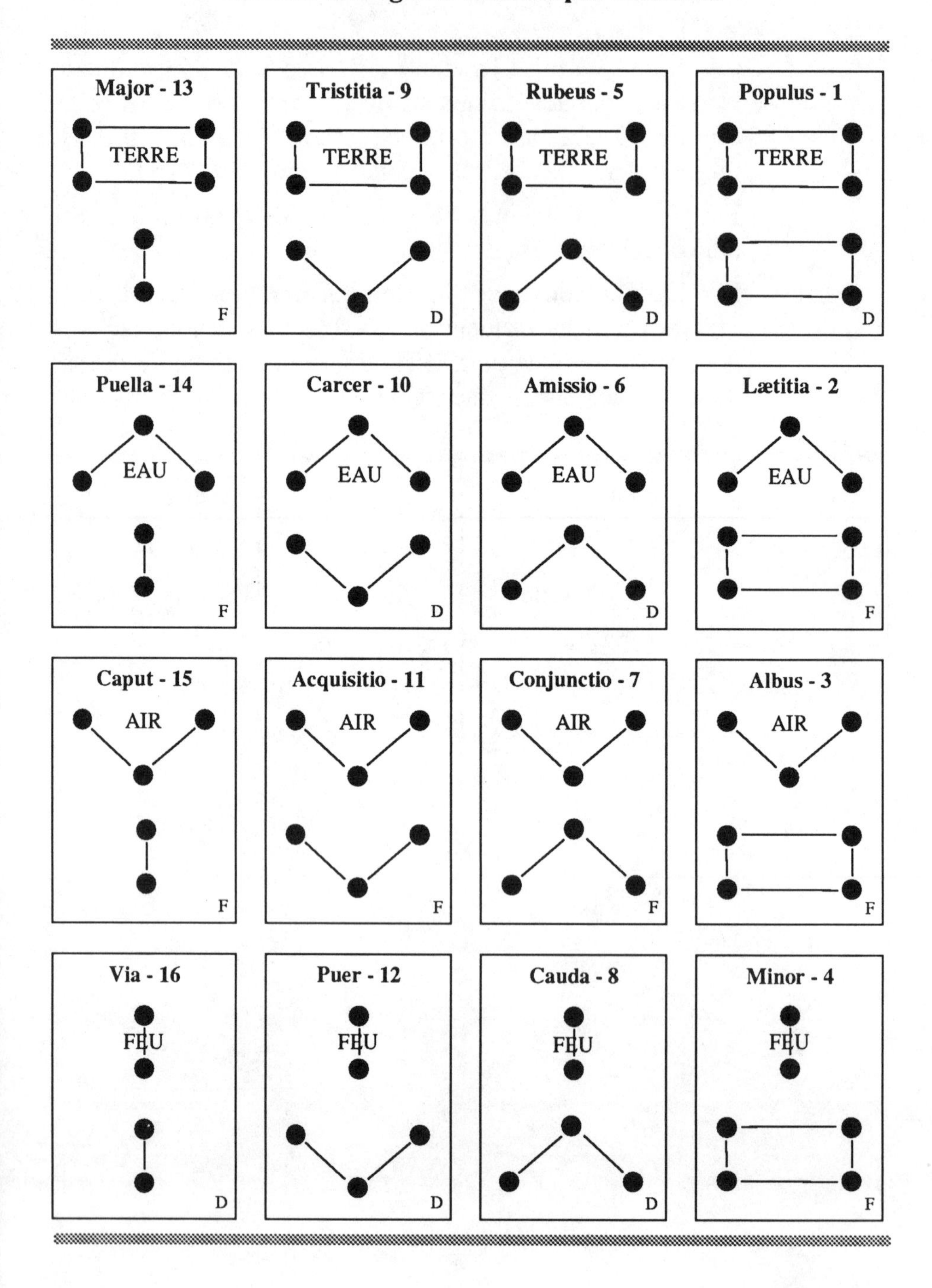

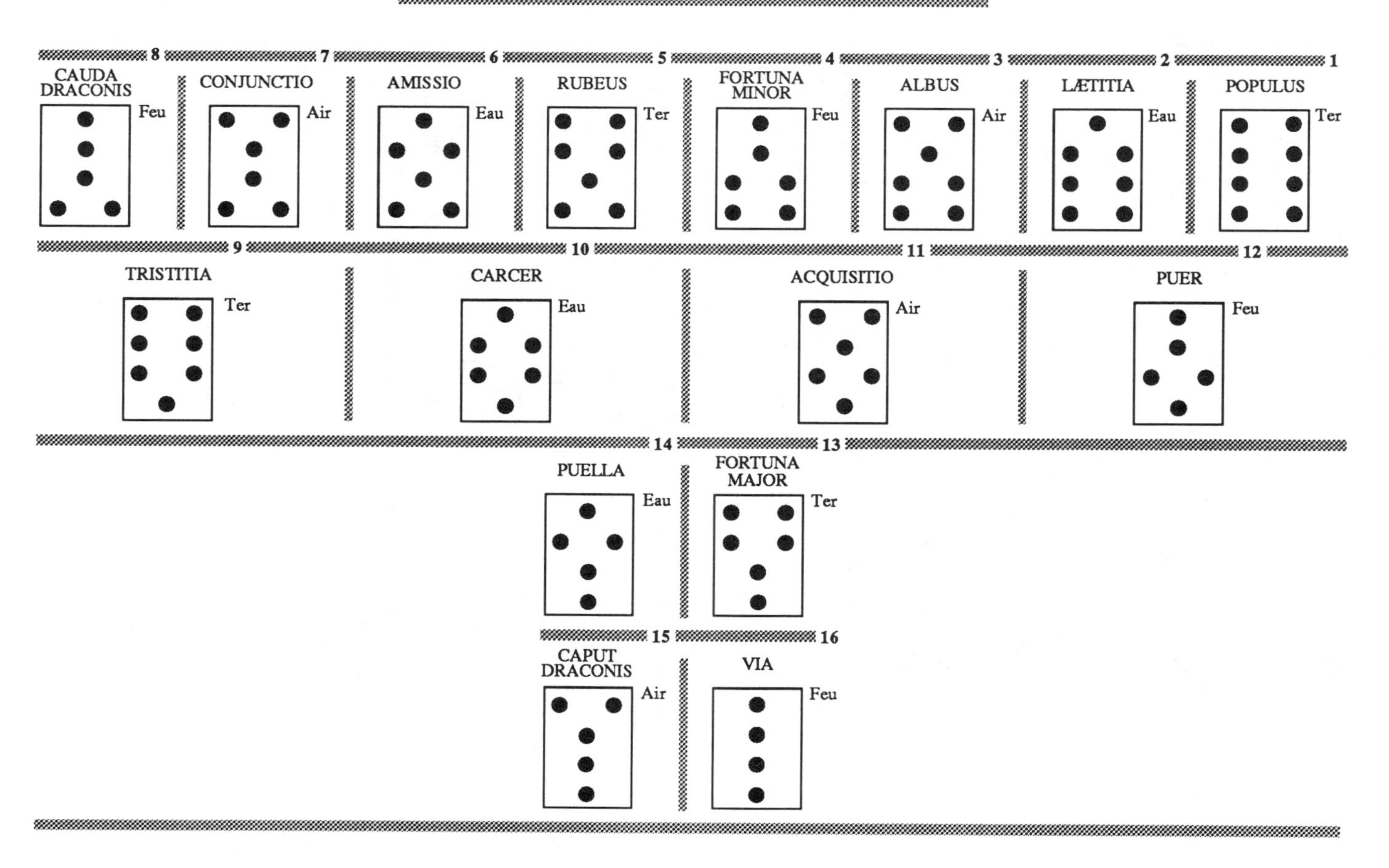
TABLEAU DES ORIGINES DES FIGURES
8
7
6
5
4
3
2
1
CAUDA DRACONIS
Feu
CONJUNCTIO
Air
AMISSIO
Eau
RUBEUS
Ter
FORTUNA MINOR
Feu
ALBUS
Air
LÆTITIA
Eau
POPULUS
Ter
9
10
11
12
TRISTITIA
Ter
CARCER
Eau
ACQUISITIO
Air
PUER
Feu
14
13
PUELLA
Eau
FORTUNA MAJOR
Ter
15
16
CAPUT DRACONIS
Air
VIA
Feu

«Tout se tient dans un filet aux mailles très serrées.»

Les couplages géomantiques sont une source de renseignements à ne pas négliger. Dans certaines circonstances, ils nous apportent des données que nous ne pourrions pas avoir par un autre procédé.

Par exemple, en couplant la figure de la Maison IV du consultant (son père) avec la figure en Maison VII (la conjointe du consultant), nous verrons quels sont les rapports du père du consultant avec sa belle-fille (la femme du consultant, son fils).

Ou encore si nous couplons la figure de la Maison V du consultant, qui représente son fils, avec la Maison X (qui est en maison dérivée la Maison VI du fils), nous saurons si le travail du fils lui convient.

Ou encore, en couplant la figure de la Maison I avec celle de la Maison X, nous saurons, par exemple, quelles seront nos relations avec notre nouveau patron.

Le couplage d'une figure avec celle qui la suit (aspect de compagnie) peut compléter l'interprétation.

Il en est de même pour le couplage avec la figure en trigone qui peut indiquer le genre d'aide apportée, ou avec la figure en carré qui peut donner une idée du genre de difficultés à surmonter.

Interprétation dans les cas de couplages suivants:

Figure négative + figure positive = figure positive: oui, mais retard et difficultés.

Figure négative + figure négative = figure positive: oui, mais perte.

Figure positive + figure positive = figure négative: oui, mais la solution finira par aboutir.

Procédé de couplage

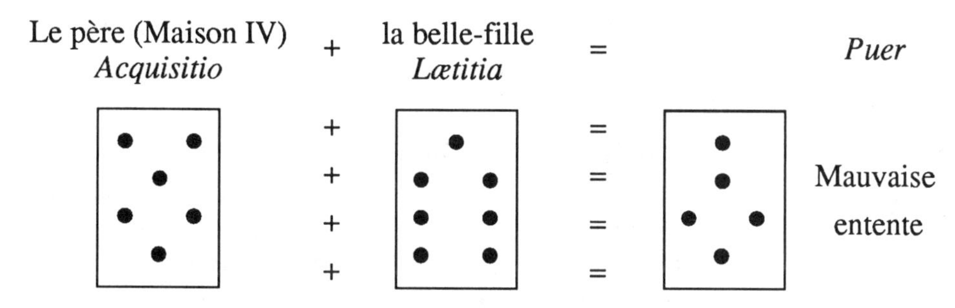

Schéma d'interprétation pour un thème de question

1- Définir la Maison concernant la question, autour de laquelle tout doit converger.
2- Monter le thème.
3- Examiner la figure occupant la Maison concernant la question; l'interpréter.
4- Comparer son élément avec celui de la case contenant la Maison de la question.
5- Noter la figure qui occupe la case domiciliaire de la figure-question. Cette ambiance domiciliaire influencera, nuancera les valeurs de la figure-question.
6- Chercher les aspects aidant ou gênant la réalisation de la question.
7- Interpréter les passations possibles de la figure-question.
8- Coupler la figure-question avec celle du questionneur (Maison I), et d'autres Maisons qui peuvent avoir un rapport avec la question : gains ou pertes (Maison II), déménagement (Maison III), ainsi que des déplacements à envisager, engagement des enfants (Maison V), répercussion sur le travail (Maison VI), l'attitude du conjoint (Maison VII), etc.
9- Examiner éventuellement l'influence des figures complémentaires, dans tel ou tel domaine en rapport avec la question.
10- Envisager, selon la question, d'interroger les Maisons dérivées.
11- Comprendre l'attitude d'esprit du Juge en présence du thème qu'il a devant lui.
12- Interpréter la Sentence autrement que par une réponse aussi simple que oui ou non, qui à elle seule ne doit pas décider de l'attitude définitive à prendre.
13- Interpréter la Part de Fortune dans les Maisons ⊕ (voir page 84).

Toutes ces questions ne sont pas indispensables pour avoir déjà une réponse suffisante.

Important

Pour qu'un thème soit valable:

Les figures Filles ne doivent pas être identiques aux figures Mères.

Si *Via* et *Populus* sont trop souvent répétés, il faut rejeter le thème.

Les quatre figures Mères ne doivent pas être identiques.

Le juge doit avoir une somme de points paire.

Schéma d'interprétation pour un thème influenciel

Ce qui suit n'est pas une étude exhaustive des possibilités. L'interprète n'est pas obligé de faire une étude aussi poussée.

1- Le tableau des proportions des éléments du thème peut donner la «température» générale: stabilité, mobilité, fixité, concrétisation, favorable, défavorable.
2- La Maison I, le questionneur, est la plus importante. Tout doit s'y rapporter. Développer les qualités et les défauts de la figure 1.
3- Nuancer les conclusions par la comparaison de l'élément de la figure I, avec celui de la case dans laquelle elle se trouve.
4- Définir pour chaque domaine des Maisons ce que les figures occupantes leur apportent. Tenir compte pour chacune d'elles des modalités de leurs apports, par les accords ou les désaccords des éléments en présence dans chaque Maison.
5- Selon les Maisons intéressées, chercher ce qui peut les aider ou les gêner par l'étude des aspects concernant ces Maisons choisies.
6- Noter les passations qui vont relier les réponses entre elles.
7- Si l'on veut connaître les conséquences d'une Maison par rapport à une autre, on doit les coupler.

8- Pour connaître l'origine de la révélation d'une figure, examiner sa figure complémentaire, et peut-être le domicile de celle-ci.

9- Ce qui préoccupe davantage actuellement le questionneur, peut être révélé par la Maison et la figure qui occupe le domicile de la figure en Maison I.

10- Si l'on veut connaître la vie influencielle des personnes qui intéressent le questionneur (enfants, père, mère, frère, sœur, oncle, tante et leurs enfants, voisins, concurrents, etc.), on doit les étudier par les Maisons dérivées.

11- Interpréter la Part de Fortune.

12- Examiner la Voie du Point (arbre généalogique du Juge).

13- Faire parler le Témoin Droit.

14- Interroger le Témoin Gauche.

15- Supputer l'attitude du Juge en présence du thème.

16- Définir l'opinion du Juge par sa Sentence (qui n'est pas forcément le mot de la fin).

Note: Une étude aussi complète donne un éventail de précisions étonnantes. Mais si on manque de temps et qu'on peut se satisfaire d'un minimum de réponses, alors on peut utiliser les procédés décrits au chapitre des Méthodes rapides.

Pour connaître l'ambiance de la journée qui commence, recueillez-vous à votre réveil et faites une figure géomantique...

QUALITÉS DES FIGURES GÉOMANTIQUES

Acquisitio

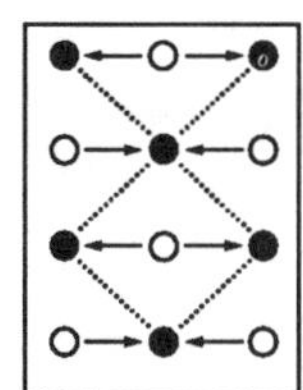

Figure: Air, fixe, entrante.

Symbolisme: Tout contenant avec une ouverture. Tout réceptacle.

Idée:

de gains, d'accroissement de richesses matérielles et de fortune; d'abondance dans tous les domaines;
d'amélioration de l'existence;
de réalisations;

d'épanouissement de toute chose;
d'extension;
de fécondité;
de tout succès matériel;

d'amplification des bonnes choses;
de progrès;
d'acquisitions matérielles, intellectuelles, morales;
d'études;

de recherches intellectuelles ou spirituelles;
de tout ce que l'on achète ou que l'on trouve;
de toute rentrée d'argent: salaire, rente, retraite, remboursement, profits divers;

d'énergies bienfaisantes qui se regroupent;
de prévoyance, d'économies;
d'épargne;
de placements.

C'est l'équilibre, la patience, la fidélité, le jugement sain, l'assimilation, la spéculation, le sens des affaires et de l'organisation, le savoir, la connaissance.

C'est la réflexion, la loyauté, l'ambition, le sens libéral, la bienveillance, la générosité.

Cette figure représente une poche, un sac, etc. Les étudiants, les gens instruits, les hommes de science, les savants, les chercheurs.

C'est une très bonne figure.

Dans les prévisions météorologiques, elle annonce le beau temps.

Elle répond oui à une question. Au repos, son domicile est dans la case géomantique 11.
Sa figure complémentaire est *Amissio*.

Albus

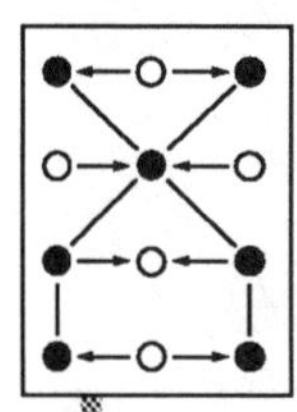

Figure: Air, mobile, entrante.

Symbolisme: Pureté physique et morale, blancheur, amour.

Idée:

d'absence de passions, de clarté;
d'innocence;
de calme, de finesse; d'apaisement, de paix intérieure;

de repos et d'équilibre;
de lumière, d'intuition;
de résignation;

d'honnêteté;
de réflexion;
de prudence;
de satisfaction de l'acquis;

de sens pratique;
d'habileté;
d'attente;
d'adaptabilité;

d'optimisme;
de flair;
d'initiative intelligente;
de peur de l'effort;

d'avoir l'art de se débrouiller;
des pourparlers;
de discours efficaces.

C'est un esprit studieux, avec goûts artistiques; la réceptivité, la sociabilité. On pense que le mieux est l'ennemi du bien.

C'est un caractère honnête, compatissant, réservé, très habile, aimant la paix et la pureté.

> Cette figure représente les gens d'affaires, particulièrement en œuvres d'art, les artistes, les poètes, les intermédiaires, le commerce de détail.

C'est une bonne figure.
Dans les prévisions météorologiques, elle annonce un temps doux, calme.

Elle répond oui à une question.
Au repos, elle a son domicile dans la case géomantique 3.
Sa figure complémentaire est *Puella.*

Amissio

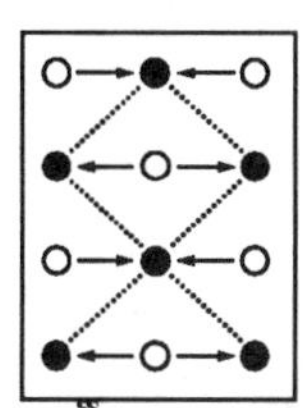

Figure: Eau, mobile, sortante.

Symbolisme: Un sac qui se vide. Ouverture par le bas.

Idée:

de disparition, de diminution, de perte dans tous les domaines: matériel, physique, psychique, moral;
de restrictions en toute chose;
de descente, de chute, d'appauvrissement;
de forces qui se dispersent dans des projets inutiles, par exemple;

> d'échec souvent par manque de but précis;
> de tendance à réduire des projets d'une certaine importance;
> de regarder vers le bas, la matérialité;
> d'enracinement ou de fuite d'une situation;

d'éparpillement des choses acquises, des richesses, des biens;
de déclin, de déconsidération;

de déperdition, de décroissance, de dépérissement;
de destruction des énergies de toute nature;

de sorties et de pertes d'argent;
de désavantages;
de déficits;
de démembrement;

de morcellement, de division;
de gaspillage;
de décadence;
de dégénérescence;

des fléaux de la nature;
des abus de forces de toute nature.

C'est l'assimilation, l'ingéniosité qui en découle, l'adaptation de l'intelligence, la mémoire, l'entêtement, la recherche du pourquoi des choses.

C'est la perte de confiance, d'estime. La dissipation et l'anéantissement des énergies, l'indécision, l'inconstance, l'instabilité et beaucoup de négativisme.

Cette figure représente les «démolisseurs» au sens propre comme au sens figuré.

C'est une mauvaise figure.
Dans les prévisions météorologiques, elle annonce la pluie.

Elle répond non à une question.
Au repos, elle a son domicile dans la case géomantique 6.
Sa figure complémentaire est *Acquisitio*.

Caput

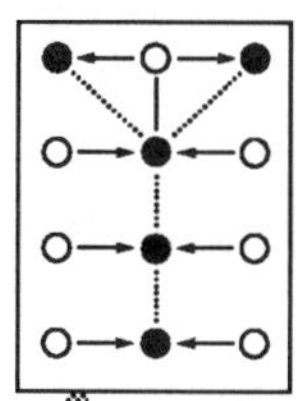

Figure: Air, fixe, entrante.

Symbolisme: Évolution. Élévation par acquisition. Réceptivité enrichissante. Utilisation des principes et de leur concrétisation matérielle.

Idée:

de réceptivité;
d'acquisition;
d'enrichissement, d'initiation;
de plénitude;

de remplissage;
de montée;
de progression d'événements vers leur réalisation;
d'épanouissement, d'accaparement;

d'ascension, d'information;
d'un commencement; d'un début
d'un but
d'un développement heureux;

d'édification;
de construction;
d'études, de scolarité;
de vie jaillissante;

d'action lente et bienfaisante;
de progrès;
d'apprentissage;
de profits;

de jouir des plaisirs de la vie;
d'être prudent et de suivre son instinct.

C'est l'esprit d'éloquence convaincante, l'assimilation facile, l'intelligence instinctive, l'imagination, la diplomatie, l'ouverture d'esprit, le sens des affaires et des responsabilités.

C'est la serviabilité, la sagesse, la spiritualité, la noblesse, les sentiments élevés, l'honnêteté dans les bons conseils. Caractère sérieux.

Cette figure représente les gens en rapport avec la terre, la construction. Les moyens d'information, d'ascension, de communication. Les nouvelles, les découvertes, les ingénieurs, les inventeurs, les professeurs.

C'est une bonne figure, très bénéfique; elle reflète beaucoup de qualités et de richesse d'idées.
Dans les prévisions météorologiques, elle annonce un temps ensoleillé.

Elle répond oui à une question.
Au repos, elle a son domicile dans la case géomantique 15.
Sa figure complémentaire est *Lætitia*.

Carcer

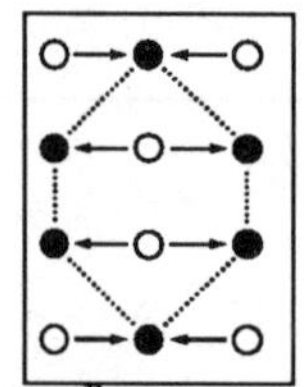

Figure: Eau, commune, sortante.

Symbolisme: Stérilité. Espace clos. La prison. Aucune ouverture vers l'extérieur. Le destin opposé à tout changement.

Idée:

de manque de liberté, d'immobilisme;
d'obstacle à la communication;
d'entrave; d'obstacle l'avancement
d'isolement, de solitude;

d'éloignement;
de paralysie;
de piétinement;
de frein;

d'arrêt (dans un lieu, par exemple un aérodrome);
de situation inextricable;
de contrainte;
d'obstruction;

de rétrécissement;
de tout ce qui empêche l'expansion;
de concentration;
de forces coercitives venant de l'extérieur;

d'empêchement;
de dérive;
d'impossibilités;
de blocage.

C'est la réflexion, le manque d'ouverture d'esprit.
L'incrédulité. La limitation intellectuelle.
L'imperméabilité aux idées des autres.
L'indice d'une forte mémoire, et de la patience.

C'est l'égoïsme, l'introspection, l'égocentrisme, les soucis, la jalousie, l'angoisse, la mélancolie, la dépression, le découragement.

Cette figure représente les gens séparés. Les gens têtus, égocentriques. Les captifs sous toutes les formes: d'un autre être, d'un métier, d'une situation, d'un sentiment, etc.

C'est une figure généralement négative.
Dans les prévisions météorologiques, elle annonce un très mauvais temps.

Elle répond non à une question.
Au repos, elle a son domicile dans la case géomantique 10.
Sa figure complémentaire est *Conjunctio*.

Cauda Draconis

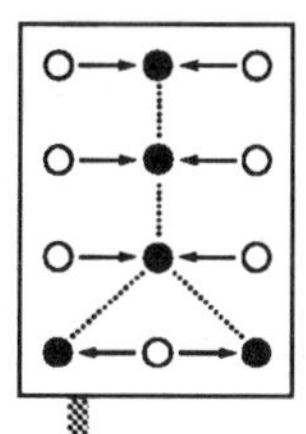

Figure: Feu, mobile, sortante.

Symbolisme: Tout ce qui s'enfonce dans la matière. Tout ce qui s'enlise. Tout caractère de diminution. Actions dissolvantes. Régression.

Idée:

d'énergies descendantes;
de déperdition, de diminution;
de chute, d'échec;
de dépression;

d'enfoncement;
d'effondrement;
de fin, de destruction;
de terminaison;

d'anéantissement;
de déperdition;
de déclin; les forces négatives remontent à la surface;
de forces qui détruisent, de contamination;

d'énergies pouvant agir contre la volonté;
d'énergies se diluant et perdant toute leur force;
de projets n'aboutissant pas, tombant à l'eau;
de perte d'intérêt

de diminution de sentiments;
de désintéressement;
d'abandon;
d'erreur, de situation illusoire;

de diminution de confiance;
de diminution de gains, de toute chose;
de diminution des épreuves.

C'est un esprit rusé, qui a le goût de pervertir autrui.
Faculté d'adaptation, de réalisations matérielles.
Manque d'équilibre intellectuel.
Avortement des idées.

C'est la paresse, la flatterie, la prodigalité, la dérobade, la corruption, la tromperie, la mauvaise renommée, l'inquiétude.

Ce sont les moyens douteux pour se procurer de l'argent.

La crainte et beaucoup de négativisme.

Cette figure représente les gens en rapport avec les bas-fonds, physiques et moraux: espions, traîtres, débauchés, mineurs, égoutiers, etc.

C'est une figure mauvaise.
Dans les prévisions météorologiques, elle annonce un très mauvais temps.

Elle répond non à une question.
Au repos, elle a son domicile dans la case géomantique 8.
Sa figure complémentaire est *Tristitia*.

Conjunctio

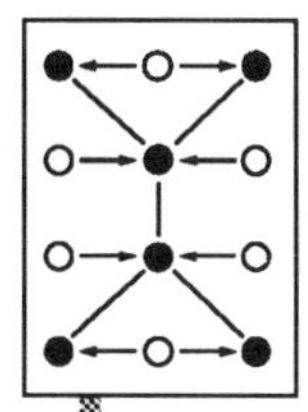

Figure: Air, commune, entrante.

Symbolisme: Union entre deux forces opposées et complémentaires dans le but de création. Fécondité. Pont entre le haut et le bas.

Idée:

de communications efficaces; de passage;
de contacts, d'associations; de complémentarité;
d'échanges, de collaboration;
d'assimilation, de communion;

de rapports avec autrui;
de rencontres, de rendez-vous;
d'accord positif, d'harmonie;
de mutation, de rassemblement cohérent;

de passage entre le passé et l'avenir;
de futur, de promesses;
d'établissement d'un lien, d'un arrangement;
d'entente, d'engagement;

d'attrait pour autrui;
d'aboutissement;
de fusion, d'amitié;
de conciliation, de compromis.

C'est l'esprit de contradiction; la subtilité; l'opposition; l'aptitude aux affaires. Adaptation. Imitation. Ingéniosité. Créativité, particulièrement par l'union des contraires. Initiative.

C'est l'attitude d'apaisement, l'honnêteté; la conciliation, l'amour du prochain. Obéissance. Droiture. Accomodation. Penchant pour les rassemblements, le libéralisme.

Cette figure représente les gens qui rapprochent les autres, qui résolvent les problèmes: les arbitres, les curés, les psychologues, les musiciens, les poètes, les bons occultistes, ceux qui œuvrent au service des autres.

C'est une figure bonne et constructive.
Dans les prévisions météorologiques, elle annonce un temps variable.

Elle répond oui à une question.
Au repos, elle a son domicile dans la case géomantique 7.
Sa figure complémentaire est *Carcer*.

Fortuna Major

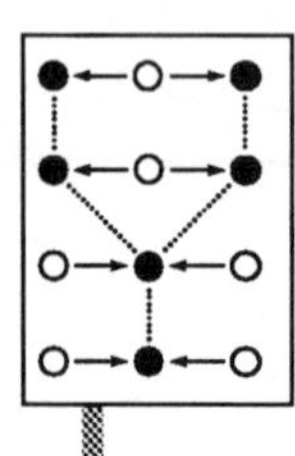

Figure: Terre, fixe, entrante.

Symbolisme: La coupe debout. Le succès. La fortune. Elle peut être pleine ou vide selon ses aspects, ce qui lui donnera plus ou moins d'importance, et de facilités.

Idée:

de fortune, de succès;
de réussite dans tous les domaines;
d'élévation du rang social;
d'épanouissement;

de vie réussie dans le bonheur;
d'espoirs;
de projets comblés;
de mesures préventives;

d'efforts se développant vers le but;
de résultats pouvant être supérieurs aux espoirs;
de bien-être matériel;
de prospérité;

d'abondance;
d'aisance;
de fertilité de toute chose;
de satisfaction des désirs.

C'est le bons sens, les nombreuses connaissances dans le domaine du savoir, la vie et le sens pratique, l'esprit de synthèse, le commandement, l'autorité, le flair, le don des affaires.

C'est la discipline, le goût de l'éclat, l'ambition, l'égoïsme, le conformisme, la générosité ostentatoire, la loyauté.

Cette figure représente le commerce de détail, les capitalistes, les chefs d'industrie, les personnages de haut rang.

C'est l'une des meilleures figures.
Dans les prévisions météorologiques, elle annonce un très beau temps et une chaude température.

Elle répond oui à une question.
Au repos, elle a son domicile dans la case géomantique 13.
Sa figure complémentaire est *Fortuna Minor.*

Fortuna Minor

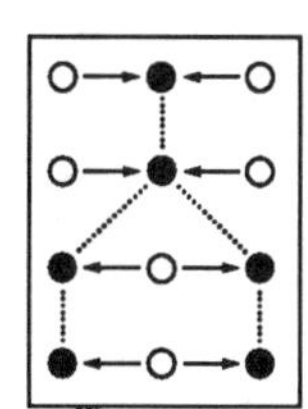

Figure: Feu, mobile, sortante.

Symbolisme: La coupe retournée, incapable de se remplir par elle-même.

Idée:

de succès instable, toujours remis en cause;
de tout remettre en question; succès ponctuel;
de fortune acquise rapidement, mais instable;
de réussite éphémère; la chance doit être saisie au vol;

d'insuffisance de biens;
de restrictions, de bonheur fragile;
de fortune acquise par l'effort;
de luttes inutiles pour réussir;

de réduction du train de vie;
d'autorité irrégulière;
de célébrité sujette à critique;
de mise à l'abri des biens;

de fonction de second ordre;
de remise en question permanente pour maintenir la stabilité;
de gros efforts pour des résultats médiocres;
de solitude, d'isolement;

de but difficile à atteindre avec les moyens du questionneur;
de titre contesté;
de nécessité de se défendre;
d'humilité, de modestie.

C'est le dynamisme, l'audace, l'ambition, la prodigalité, les réalisations. Beaucoup de connaissances sont transmises à autrui, ou mal utilisées.

C'est l'exaltation, la fécondation, l'expansion, l'enthousiasme.

Cette figure représente les leaders politiques, les gens autoritaires, ou qui exercent l'autorité dans le domaine public: policiers, gardiens, médecins, avocats, curés.

C'est une bonne figure.
Dans les prévisions météorologiques, elle annonce le beau temps.

Elle répond oui à une question.
Au repos, elle a son domicile dans la case géomantique 4.
Sa figure complémentaire est *Fortuna Major.*

Lætitia

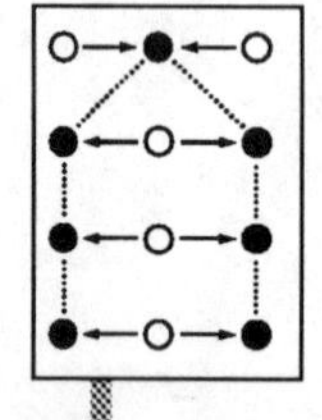

Figure: Eau, mobile, sortante.

Symbolisme: Expansion matérielle ou morale.
Surabondance d'énergie.

Idée:

de succès, d'aisance; avantages de toute sorte;
d'expansion durable;
de générosité;
de réussite matérielle et intellectuelle;

d'aide, de fertilité;
de fécondité;
d'évolution;
de prospérité;

de satisfaction;
d'élévation;
de dynamisme;
de démarche vers un but précis;

de se diriger dans la bonne direction;
de l'amour de la vie; de joie de vivre;
d'invulnérabilité;
de maturation;

de croissance;
d'épanouissement;
d'assimilation;
de capacité à toujours surmonter les obstacles.

C'est l'intellectualité, l'aptitude à réussir, l'optimisme, l'esprit gai, l'attitude peu hautaine, la recherche de la connaissance, l'ambition.
C'est la bienveillance, la présomption. Tout se réalise dans la lenteur, sans précipitation.

Cette figure représente les gens qui travaillent dans les objets de luxe, ceux qui manipulent l'argent. Les chefs, les protecteurs, ceux qui produisent.

C'est une bonne figure.
Dans les prévisions météorologiques, elle annonce un très beau temps, sans nuages.

Elle répond oui à une question.
Au repos, elle a son domicile dans la case géomantique 2.
Sa figure complémentaire est *Caput Draconis*.

Populus

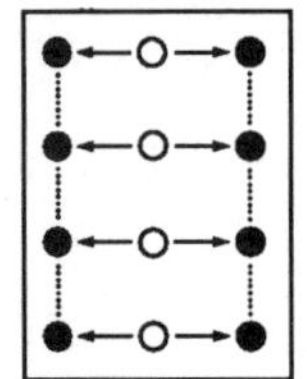

Figure: Terre, commune, entrante.

Symbolisme: Dispersion; désagrégation; prolifération. La foule. Dissolution dans la quantité. Perte de personnalité.

Idée:

de multiplicité des facteurs en jeu;
de rassemblement, localement;
de regroupement par endroit;
de foule, de tumulte;

d'avancer dans le brouillard;
de prolifération anarchique (si mauvais aspect);
d'initiatives multiples;
de vie communautaire;

de multiplicité des efforts non coordonnés;
d'incohérence, d'instabilité;
de désordre;
d'opinions changeantes;

de banalité générale;
d'égoïsme qui pousse à tourner en rond;
de gestation;

de conformisme, assez rarement;
d'augmentation non maîtrisée;
de polyvalence.

C'est l'éloquence, le bavardage, l'instabilité, l'indécision, l'imagination, le sens du calcul.

C'est la médiocrité, l'honnêteté, la rêverie mélancolique, l'indiscrétion, la tendance à se laisser entraîner sans réfléchir au résultat.

Cette figure représente la rumeur publique, les hommes publics, ceux qui travaillent parmi la foule: commerçants, policiers, employés divers.

Cette figure est défavorable, mais pas mauvaise en elle-même.

Dans les prévisions météorologiques, elle annonce un temps instable et brumeux.

Elle répond non à une question. Cependant, ce non peut vouloir dire: «Vous n'avez pas à connaître actuellement la réponse à cette question.»
Au repos, elle a son domicile dans la case géomantique 1.
Sa figure complémentaire est *Via*.

Puella

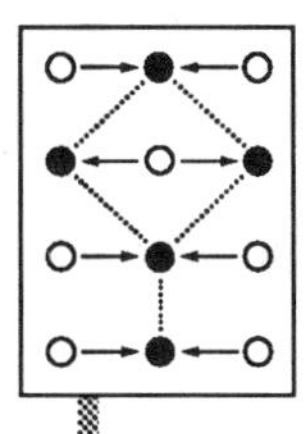

Figure: Eau, fixe, sortante.

Symbolisme: La femme. L'élément féminin dans toutes ses manifestations.

Idée:

d'harmonie attractive;
d'amour, de plaisirs physiques et spirituels;
d'art; de sensualité;
de créations féminines;

de créations et d'activités artistiques;
de beauté;
de douceur dans les différents domaines;
d'élégance;

de recherche du moindre effort dans l'action;
d'analyse du pour et du contre;
d'amour de la nature;
d'indifférence;

de fuite des soucis auxquels on ne veut pas penser;
de recherche de l'entente avec tous;
d'un besoin fondamental de plaire aux autres;
d'évolution, de développement de l'instinct;

de faiblesse;
de laisser-aller;
de complémentarité.

C'est le sens artistique développé, l'affabilité, l'inconstance, surtout sentimentale, la recherche de la stabilité.

Tout est favorable, sauf pour les entreprises qui demandent une activité énergique personnelle.

Cette figure représente les artistes, les dessinateurs. Ceux qui œuvrent dans la création ou la fabrication de choses en rapport avec la féminité.

C'est une bonne figure.

Dans les prévisions météorologiques, elle annonce un temps variable.

Elle répond oui à une question.
Au repos, elle a son domicile dans la case géomantique 14.
Sa figure complémentaire est *Albus*.

Puer

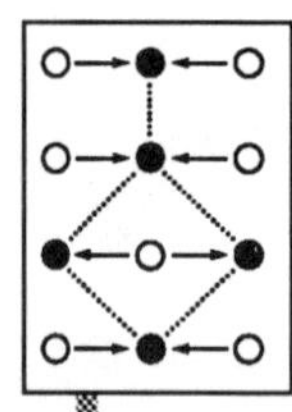

Figure: Feu, mobile, sortante.

Symbolisme: L'homme dynamisé. Tout ce qui est en rapport avec la virilité.

Idée:

d'impulsivité difficile à contenir;
d'activité indépendante de la volonté;
d'action irréfléchie et fougueuse;
d'efforts détournés au profit d'autrui;

de liberté excessive, sans égard aux moyens employés;
de besoins physiques, matériels et instinctifs;
de fermeté;
de combativité; de besoin d'action;

de domination;
de gaspillage d'énergies;
de vie active mouvementée;
de records sportifs;

de jeux violents;
de risques dans les affaires;
du goût d'entreprendre coûte que coûte;
de dynamisme ardent;
de coups de tête.

C'est l'esprit ingénieux, subtil, très critique, aimant la force et n'hésitant pas à l'utiliser; ce sont les résultats obtenus au prix de gros efforts.

C'est la colère, l'instinct de possession, les désirs sexuels puissants, le goût de la contestation.

Cette figure représente les explorateurs, les chercheurs, les contestataires, les sportifs, les hommes d'action.

C'est une mauvaise figure.
Dans les prévisions météorologiques, elle annonce le mauvais temps.

Elle répond non à une question.
Au repos, elle a son domicile dans la case géomantique 12.
Sa figure complémentaire est *Rubeus*.

Rubeus

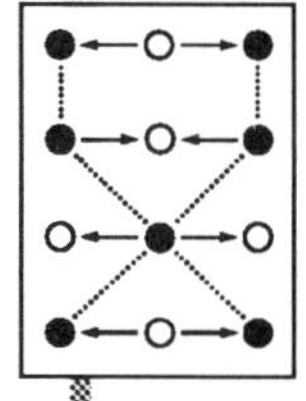

Figure: Terre, fixe, entrante.

Symbolisme: Révolte. Tout le symbolisme de la couleur rouge: chaleur, feu.

Idée:

de révolte dans le but de tout réformer;
de refus dans tous les domaines;
de rougeoiement;
de mécontentement;

de passion contenue, ou d'emballement soudain;
de bouleversement;
de feu, d'agressivité, le feu de la passion;
de sévérité;

de conflits;
d'insubordination;
d'actions violentes;
d'actions désordonnées;

d'impatience;
de discorde;
de corruption;
d'irréflexion;

d'hostilité;
de destruction pour reconstruire;
de changement de but avant d'y être parvenu;
d'activité désaxée;

de décision brutale;
de révolte contre le destin et les hommes.

C'est le tapage, les disputes, les luttes, la violence.

Cette figure représente les réformateurs, les insoumis, ceux qui rejettent l'ordre établi, les contestataires.

C'est une mauvaise figure.
Dans les prévisions météorologiques, elle annonce la tempête, les orages.

Elle répond non à une question.
Au repos, elle a son domicile dans la case géomantique 5.
Sa figure complémentaire est *Puer.*

La plupart des auteurs ont classé *Rubeus* (rouge) dans les signes de Feu, comme en astrologie. Mais en Géomancie, *Rubeus* symbolise le rubis, pierre, minéral rouge = *Terre.*

Tristitia

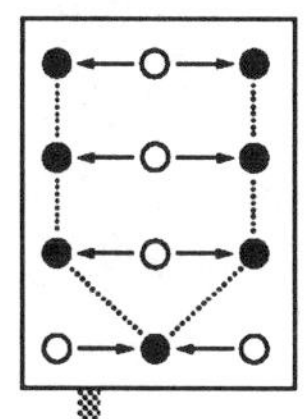

Figure: Terre, fixe, entrante.

Symbolisme: Un puits. La descente. La chute.

Idée:

de perte d'énergies;
d'affaissement;
de cristallisation;
de stabilité, de blocage;

d'enracinement de regrets;
de contrainte;
d'insuccès dans les projets ou les entreprises;
de découragement;

de fatalité;
de pessimisme, de mélancolie;
de dépression physique ou morale;
de perte dans tous les domaines;

de sentiment d'être dominé sans réagir;
de vulnérabilité;
de restrictions;
de fatigabilité;

de dépérissement;
de vieillissement;
d'un ralentissement d'efficacité;
de la fin des choses.

C'est le cerveau inquisiteur, l'esprit de recherche, la persévérance, l'invention.

C'est l'inquiétude, la patience, l'opiniâtreté, la mémoire, la servitude, la dépendance.

Cette figure représente les gens tristes, moroses, les vieillards, ceux qui sont en déperdition, ceux qui œuvrent dans la matière, particulièrement «en bas»: mineurs, bûcherons, employés des pompes funèbres, liquidateurs, etc. Les gens qui s'occupent de la fin de quelque chose.

C'est une mauvaise figure.
Dans les prévisions météorologiques, elle annonce un temps sombre, de la pluie.

Elle répond non à une question.
Au repos, elle a son domicile dans la case géomantique 9.
Sa figure complémentaire est *Cauda Draconis*.

Via

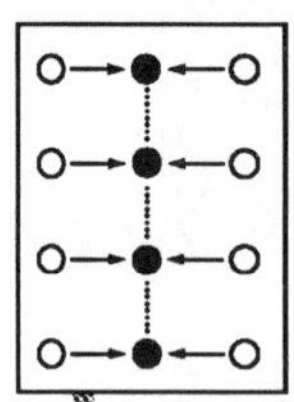

Figure: Feu, commune, sortante.

Symbolisme: Le départ. La route. Les choses non organisées. La mutation.

Idée:

d'instabilité, de mobilité;
de départ, de séparation, d'envol;
de déménagement par étapes;
de rupture ou de retrouvailles;

de situation floue;
d'actions laborieuses et instables;
de lumière, de flamme;
d'indécision, de détachement;

de flottement, de progression pas à pas;
de naissance de quelque chose;
de voyage sans but précis;
d'entreprise longue et difficile, peu rentable;

de cheminement;
de découverte, d'expansion;
de transformations incessantes;
de transmission;

de recherches;
d'illusion;
d'efforts à répétition sans résultats apparents;
de communications sur terre, dans les airs, sur l'eau et par l'entremise d'une radio.

C'est l'esprit capricieux, étourdi, léger, calculateur, sans ténacité.

C'est l'impulsivité, la réflexion, la curiosité, l'inconstance, le caprice.

Cette figure représente les gens qui se déplacent au gré de leur fantaisie, les animateurs, les transporteurs, les chercheurs, les techniciens en communication, etc.

C'est une figure défavorable.
Dans les prévisions météorologiques, elle annonce un temps variable.

Elle répond non à une question.
Au repos, elle a son domicile dans la case géomantique 16.
Sa figure complémentaire est *Populus*.

LA PART DE FORTUNE

Message émanant du plan de vie

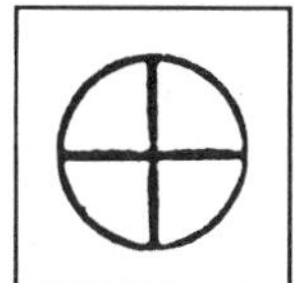

Le symbole de la Part de Fortune est une croix dans un cercle.

C'est une roue à quatre rayons qui montre qu'elle peut rouler et nous parvenir des quatre points cardinaux: du nord, de l'est, du sud et de l'ouest.

Elle nous montre également qu'elle porte en elle les quatre éléments: Terre, Eau, Air, Feu, et qu'elle véhicule aussi le symbolisme rédempteur de la croix.

La Part de Fortune ne se déplace pas selon une fantaisie aveugle, car elle est poussée dans une direction précise par les influences personnelles du moment de celui qui sollicite l'information.

Elle symbolise et indique un changement possible, souvent favorable, selon la signification de la Maison dans laquelle elle s'arrête.

Elle attire l'attention sur cette Maison en nuançant les qualités de la Figure qui l'occupe; cela dans le sens d'accorder ce que l'on désire ou de permettre d'éviter le pire.

C'est la Roue de la Fortune, dans le sens le plus large, qui tourne inlassablement à travers notre existence.

Elle s'arrête périodiquement pour un temps afin d'attirer notre attention sur la place qu'elle occupe.

À nous de comprendre et de ne pas laisser échapper cette chance qu'elle nous propose.

Pour déterminer la Maison destinée à recevoir la Part de Fortune, on doit additionner les barres des seize jets. On divise ensuite le résultat par le nombre 12. Le reste indiquera le numéro de la Maison choisie.

S'il n'y a aucun reste, c'est que la Part de Fortune a terminé son périple à travers les secteurs de notre vie. Alors elle s'arrête, ne reprend pas sa course. Et où peut-elle être mieux à sa place pour exercer son pouvoir rédempteur que dans la Maison XII des épreuves?

La Part de Fortune dans les Maisons

Maison I

Elle met en relief la personnalité du questionneur dans le moment présent, elle l'aide à réagir par ses propres moyens. La réussite est probable si la figure occupante est bénéfique et si elle présente un bon aspect. On tiendra compte des nuances selon l'accord des éléments en présence.

Le questionneur pourra s'ajuster, s'adapter aux caractéristiques qui lui sont proposées, et si la figure lui est défavorable, il lui sera permis d'en atténuer les mauvais côtés.

Sa personnalité, son rôle est présentement de premier plan. Il doit s'affirmer et ne pas rester dans l'ombre. Il doit dominer toute situation qui peut se présenter.

Si la Maison représente le commencement d'une chose ou d'une entreprise, celle-ci est primordiale et ne devra jamais être perdue de vue.

Ce commencement est particulièrement important pour l'avenir de la chose considérée.

Il importe de réunir toutes les conditions favorables, de tout essayer, de tout prévoir pour faire un excellent départ.

Tout cela est en rapport avec la figure occupante qui indiquera les possibilités et la direction.

Dans le cas d'une figure défavorable, les réalisations se feront avec précaution, au jour le jour, en pensant qu'«un tiens vaut mieux que deux tu l'auras», et peut-être «manger son blé en herbe», par crainte des risques à courir.

C'est un message émanant du plan de vie.

Maison II

La présence de la Part de Fortune dans cette Maison indique toute l'importance qu'il faut attacher actuellement aux gains potentiels, mais aussi à leur perte.

La figure occupante indique le sens positif ou négatif dans lequel l'interprétation devra s'orienter.

Cette question des gains est à l'ordre du jour dans les influences actuelles. C'est pourquoi la Part de Fortune est là pour attirer l'attention, et pour aider.

C'est une bonne disposition pour tout ce qui concerne l'argent, les satisfactions pécuniaires qui peuvent augmenter, ou diminuer selon la figure et les aspects; cela peut donc devenir: instabilité, et retardement pour l'obtention de gains.

Maison III

C'est une Maison dont l'importance actuelle est particulièrement grande.

Après avoir déterminé le domaine particulier de cette Maison qui l'intéresse, le questionneur devra considérer qu'il lui est donné la possibilité de connaître le renseignement recherché, et que l'aide lui est proposée afin qu'il puisse l'utiliser à sa satisfaction.

S'il est question de l'entourage, des petits déplacements, des études, d'une réalisation concrète et si la figure occupant la Maison est défavorable, l'arrivée de la Part de Fortune va lui apporter des moyens de limiter son négativisme; peut-être même permettre une mutation dans l'autre sens.

Les possibilités sont disponibles, il doit donc les définir.

Si, après les avoir recherchées, il les applique, les met en œuvre, alors les résultats ont toutes les chances d'être positifs.

Cette présence de la Part de Fortune dispose à un évident égoïsme et a tendance à rendre «arriviste».

Elle permet également de tirer parti des gens de l'entourage, tout en vivant en bonne intelligence avec eux.

Elle dispose favorablement ceux qui font de fréquents voyages et peut rendre lucratifs les déplacements, si les aspects sont bons.

Maison IV

Cette Maison prend toute sa valeur dans le contexte actuel. Il est conseillé d'y porter une attention toute particulière.

La Part de Fortune jette une lumière qui peut aider à y voir clair et à éviter de prendre une décision en désaccord avec l'ambiance du moment.

Les relations familiales peuvent être reconsidérées, le foyer, la résidence peuvent se transformer dans le sens indiqué par la figure occupante et ses aspects.

Les indications peuvent s'appliquer aux biens immobiliers familiaux, et entraîner soit un accroissement, soit des complications de ceux-ci. Leur gestation peut être mise en cause.

Dans cette Maison, on décèle la santé du père et de la mère du consultant.

On peut y observer la fin d'une entreprise ou d'un événement.

Maison V

La présence de la Part de Fortune ici va permettre de développer favorablement l'ascension, les joies, les satisfactions dans la vie du questionneur.

Dans les différents domaines concernés par cette Maison souffle un vent favorable. Il attise les amours de toute sorte, dans les différents secteurs de la vie; les enfants, les arts, les études, le bon choix dans les spéculations et les placements, les investissements.

Bien sûr, il y a les caractères inhérents à la figure occupant la Maison dont il faudra bien tenir compte et qui seront à la base de l'interprétation.

La Part de Fortune favorise particulièrement ceux qui ont une profession ou une exploitation apportant aux hommes un dérivatif à leur labeur quotidien. Ce sont les lieux de loisirs, les spectacles, les hôtels, les jeux. Mais aussi l'esthétique, le luxe, les vêtements chic, etc.

L'enseignement, les écoles, les maisons de culture sont concernées par les influences imprégnant actuellement les domaines de la Maison.

Maison VI

Si la santé de la personne ou de l'entreprise considérée n'est pas en bon état, la Part de Fortune va permettre de trouver la bonne solution pour rétablir l'équilibre normal dans une situation compromise.

On devra étudier la figure occupant la Maison ainsi que l'accord des éléments entre eux, et des aspects frappant la figure.

En ce qui concerne le travail, elle donne des éléments favorables en attirant l'attention sur les possibilités d'amélioration, de diminution des contraintes, du développement lucratif, du changement ou de la perte d'emploi qui sont présents.

Il est conseillé de ne pas laisser passer le moment favorable pour prendre une décision en toute connaissance de cause.

Il en est de même en ce qui concerne les serviteurs ou les employés.

Maison VII

Le conjoint, le ou les associés sont à l'ordre du jour et doivent retenir l'attention, à moins que les affaires du questionneur soient plus importantes pour lui.

Son attention est alors braquée sur celles-ci, qui doivent être particulièrement étudiées.

Le hasard n'existe pas et la Part de Fortune arrive à point pour aider puisque c'est la demande du questionneur; s'il y voyait clair, il ne demanderait rien.

Elle va permettre de démêler la situation et de mettre en relief le ou les points importants qu'il faudra comprendre et résoudre.

Signer, remettre en question ou à plus tard la signature d'un contrat: achat ou vente, travail, affaire judiciaire, mariage, divorce, etc.

Les influences sont une aide pour gagner ou atténuer le caractère défavorable d'une figure.

Maison VIII

L'ambiance influencielle est propice aux transformations, aux grands changements, aux mutations si le questionneur ou l'entreprise ne sont pas sur la bonne voie.

La figure occupant la Maison va en marquer les modalités et la Part de Fortune va accentuer la nécessité d'y penser.

Dans le cas d'une maladie, il ne faut plus perdre de temps pour prendre une décision concernant son traitement ou le médecin la traitant.

Cette décision peut s'appliquer à toute situation inhibitrice ou stagnante, qu'elle soit familiale, professionnelle, sentimentale, financière, immobilière ou intellectuelle.

Maison IX

Cette Maison désignée par la Part de Fortune qui s'y trouve doit être considérée plus attentivement que les autres, car elle est davantage imprégnée par les influences personnelles du moment.

Il est bon d'en tenir compte pour ne pas laisser échapper l'occasion d'intervenir utilement.

Ne pas oublier qu'il faut croître vers le haut et vers le bas et qu'il est nécessaire de garder les pieds sur terre. Bien sûr, il n'est pas question de ne regarder le ciel que pour juger du temps qu'il fera.

Penser aussi au rôle rédempteur de la Roue de Fortune qui échoit dans cette Maison, et ce n'est pas pour rien qu'elle s'y trouve.

Il est bon d'analyser le rôle social, intellectuel ou spirituel, le rayonnement que le questionneur a sur autrui. Examiner son comportement ou son enseignement dans le sens d'une déviation possible, et l'utilité d'y remédier.

Cette analyse peut être concrétisée par les écrits ou le verbe.

S'il y a un projet de long voyage, il est à étudier de près, et il faut voir dans quelles conditions il peut se dérouler.

Cette Maison concerne également les relations avec les personnes étrangères. Les aspects fourniront des renseignements utiles à ce sujet.

Maison X

C'est une des quatre Maisons les plus importantes avec les Maisons IV et VII. Qu'elle soit mise en évidence a un sens certain actuellement dont il est bon de tenir compte.

En plus des relations avec les père et mère et de leur santé, la situation sociale, le crédit, le métier, la destinée sont l'apanage de cette Maison.

La figure occupante va donner le ton au domaine particulier de la Maison qui intéresse le consultant. Selon qu'elle sera favorable ou défavorable, la Part de Fortune qui la met en évidence va la moduler dans le sens positif en y apportant la lumière et l'aide nécessaires pour rétablir les normes.

Elle va contribuer à l'élévation sociale et à atténuer la mauvaise influence d'une figure défavorable.

Maison XI

La Part de Fortune placée dans cette Maison montre que les amis ou les projets occupent une place de choix dans les influences du moment.

Cette place est-elle bénéfique ou gênante pour le questionneur? La figure occupante reflète la situation. Peut-on compter sur les appuis d'amis, sur leur sincérité? Les projets qu'on peut nourrir sont-ils réalisables actuellement? Sont-ils favorables ou non?

Les promesses concernant le travail, les sentiments, le financement envisagé pourront-elles être tenues?

La Part de Fortune apporte un facteur de chance dans ces domaines.

Si la figure occupante est favorable, le questionneur aura peu d'efforts à faire pour parvenir au succès; et ses amis travailleront pour lui!

Dans le cas d'une figure défavorable ou de mauvais aspects, le consultant peut servir d'«homme de paille», de paravent à certaines combinaisons; dans ce cas, il en tirera quand même un profit matériel sans risques sérieux pour sa fortune, sinon pour son honorabilité!

Et toujours dans le cas d'une figure défavorable, ses projets risquent d'être remis en question.

Maison XII

La Part de Fortune se situant dans cette Maison des épreuves est un peu comme un parapluie qui garantit l'infortune matérielle.

Si la figure occupant cette Maison est favorable, la Part de Fortune permet de s'en sortir par des procédés qui ne demandent aucun travail absorbant.

Si la figure est défavorable, ce n'est pas la misère, mais des réalisations instables, tributaires des gens et des événements.

Quelquefois une figure défavorable va indiquer une négation, un empêchement, une réalisation non désirée; dans ce cas, cela peut être bénéfique s'il s'agit de quelque chose de mauvais.

C'est une raison pour ne pas conclure rapidement et négativement devant une figure défavorable occupant la Maison XII!

LE CIEL GÉOMANTIQUE

Les douze Maisons

suivi du Tribunal et de ses quatre cases

Maison I

Le questionneur. Celui pour qui le thème est créé.

Sa naissance.
Son tempérament.
Son caractère.
Sa vitalité.
Sa force physique.
Ses mœurs.
Son comportement.
Son dynamisme.

Son état d'âme.
Ses intentions apparentes ou cachées.
Sa santé en tant que capital de vie.
Le commencement de toute chose ou d'une entreprise.
La mémoire.
L'intelligence.

Dans le corps de l'homme; la tête, le cerveau.

Maison angulaire, puissante.

Maison II

Les valeurs auxquelles le questionneur attache le plus d'importance. Les profits par le travail.

Les salaires.
Les récoltes.

Les finances.
Les gains ou pertes.
Les dépenses.
Les dons.

Les richesses et leur stabilité.
Les biens mobiliers.
L'argent.
La monnaie.
Les liquidités.
Les banques.
La bourse.
Les entreprises financières.
Les parts associatives, leur rémunération.
Les actions, les obligations, les titres.
Les métaux précieux.

Les profits (ou les dépenses) que l'on peut retirer d'un voyage, d'une affaire quelconque, d'un serviteur, d'un ami (ou les pertes).

Dans le corps physique de l'homme: la gorge, la glande thyroïde.

Maison III

L'entourage: frères, sœurs, neveux, nièces, etc.

Les contacts immédiats, les rencontres.
Les parents, les amis, les voisins.
Le mouvement.
Les petits voyages ou déplacements.
Les véhicules.
Les moyens de transport.
Les routes, rues, boulevards, chemins.
Les vitrines, les devantures.

Les facultés intellectuelles.
Les études.
Les étudiants, les élèves.
Les questions éducatives.
Les chiffres.

Les écrits.
Les impressions de toute sorte.
Les publications littéraires et autres.

La presse écrite et tout ce qui est en rapport avec sa publication.
Tout ce qui concerne les textes.

Les imprimeurs, les imprimeries.
Les photocopies, les photocopieurs.
Le courrier, la poste et tout ce qui s'y rapporte.

Les moyens d'expression sous toutes leurs formes (paroles, écrits).

Les entreprises commerciales ou industrielles.

Tendance dans le domaine des réalisations concrètes.

Dans le corps de l'homme: la poitrine, les poumons, les bras et les mains, la circulation du sang, l'élimination pulmonaire, la ventilation.

Maison IV

La résidence.
Le foyer.
La demeure du questionneur.
La ville où elle est construite.
Son état, son genre, sa situation.

Le patrimoine: maisons, terres, bois, etc.
Tous les biens familiaux immobiliers.

Tout ce qui est enfoui ou caché dans le sol.

Les trésors.
Les mines.
Les tombes.

La mère pour une consultante.
Le père pour un consultant.

Les lieux où l'on s'arrête; gares, aérodromes, carrefours, etc.
Les lieux où se trouvent des choses cachées ou gardées.

Le but poursuivi.
Un renversement de situation.

La fin de la vie... et de toute chose.
Une issue, bonne ou mauvaise.

La nutrition, spécialement celle provenant des organes féminins: lait maternel.

Les transactions immobilières (en rapport avec la Maison VII).

Dans le corps physique de l'homme: l'estomac, le foie, le pancréas, les poumons inférieurs et la digestion en général.

Maison angulaire, puissante.

Maison V

Les enfants; le sexe, le nombre, les qualités physiques et morales.

Le comportement privé:

L'inhibition personnelle.
Les plaisirs, les joies de la vie.
Les loisirs.
Les banquets, les sports, la danse, les concerts, le théâtre, etc.
Toute chose voluptueuse.
Lieux où l'on s'amuse.
Les jeux.

La coiffure.
L'esthétique.
Les bijoux, les pierres précieuses, l'or.
Le luxe.
La beauté, l'éclat.
Les décors.

L'ensoleillement, les jardins, les fleurs, les vergers, les bois.

Les amours: maîtresses, amants.

Les maternités: la grossesse, le sexe de l'enfant (voir la Maison XII).

L'enseignement.
Les écoles.
Les maisons de la culture, les ambassades, la diplomatie.

Les vêtements, surtout les accessoires. La mode.

Les opérations financières.
Les spéculations.
Les investissements.

Le contenu et la valeur des écrits, des livres.
La gestation d'une œuvre.

Les produits de la terre: abondance ou rareté.
Les aliments: leur qualité.

Dans le corps de l'homme: le cœur, la moelle épinière, le dos, le plexus solaire.

Maison VI

Le travail.
Les travailleurs.
Le lieu de travail.
Les examens, les tests professionnels.

Les serviteurs.
Les employés.
Les salariés.
Les artisans.

Les maladies.
Les remèdes, leur efficacité.
Le lieu où se tient le malade.

Les professions de santé (sauf les médecins en X)
Les infirmières et tout le personnel soignant.
Tout ce qui y touche.

Les études professionnelles.
Les promotions professionnelles par le travail.

Les intermédiaires pour le travail. Les services publics.
Les bureaux de placement de personnel. La police.

La diététique.
Les maisons de régimes, de diététique et tout ce qui y est vendu.

Les animaux domestiques (non chevauchables). Les fermes, les basses-cours.

Dans le corps physique de l'homme: le ventre, les intestins, l'assimilation, l'élimination des matières.

Maison VII

Tout ce qui s'oppose ou se complète.

Le conjoint.
Les associés.
Toute personne avec laquelle on est en pourparlers ou en négociation.

Les ennemis ou adversaires déclarés.

La justice.
Les procès.
Les jugements.
Les litiges.
Les discussions.
Les luttes.
Les querelles.
Les contestations.
Les gens avec lesquels on est en procès.

Les mariages (si la figure est fertile).
Les ruptures.
Les séparations.
Les divorces.

La foi conjugale.
La fidélité.

Les affaires en général.
Les contrats de toute sortes.

Les ventes, les achats de biens.
Les tractations.

Dans le corps physique de l'homme: les reins, le bassin, les glandes endocrines.

Maison VIII

Le changement.
La transformation totale.
La mutation.
La renaissance.
La fécondation.

La capacité de se tirer d'affaires.

La dot, les biens du conjoint.
Les biens associatifs.
Les biens matrimoniaux, successoraux.
La mort.
Les héritages.
Les pompes funèbres.

Les maladies graves.
Les peines.
Les craintes.
Les disparitions.
Le sommeil.

La sexualité et ses organes.

Les dangers dans les accouchements.
Les douleurs de l'enfantement (voir la maison XII: hôpital, cliniques).

Les obstacles.

Les rentes.
Les pensions.
Les retraites.

Les dons psychiques.
Les pouvoirs occultes latents.

Les centres nucléaires.
L'énergie atomique, le plutonium, l'uranium.

Dans le corps physique de l'homme: la vessie, les organes génitaux.

Maison IX

L'action mentale.
Le rôle social.
Le rayonnement sur autrui.
La vie spirituelle, les aspirations.
L'évolution spirituelle.

L'enseignement spirituel, initiatique.
Le Maître.
Le gourou.
Les rites.
La messe.
L'Initiation.

Les facultés, les écoles des hautes études.
Les universités.

Les écrits qui s'y rapportent.
Les livres dans le domaine de l'esprit.
Les éditeurs.

Les enseignants.
Les professeurs.
Les fonctions intellectuelles.

Les langues étrangères.
Les traductions, les traducteurs.
Les œuvres publiées à l'étranger.

Les sciences.
Les savants.
Les explorateurs.

Les grands voyages, leur utilité, leurs dangers, leur durée.
Les expéditions lointaines (terre, mer).
Les personnes de l'étranger.
Le clergé.
La magistrature.
Les arbitres.

Les navires et tout ce qui s'y rapporte.

Le degré de vérité d'une rumeur, d'un songe.

Dans le corps physique de l'homme: les hanches, les cuisses, les artères, la circulation artérielle.

Maison X

Le but atteint.
Le destin en général.
La profession.
La carrière.

Le niveau de vie.
La réussite sociale.
Les honneurs.
Les ambitions.

Le crédit.
Les actes et les réalisations.

La destinée d'une entreprise.
Les directeurs.
Les patrons.
Les employeurs.
Les grands de ce monde (juges, prélats, etc.).

Le médecin, sa qualité.
Le pharmacien.

La mère du questionneur.
Le père de la questionneuse.

L'élévation, la chute.
Le pouvoir.
La durée.

La maturité.

Les montagnes et les lieux ou terrains élevés.
Les chalets, les hôtels en montagne.

Dans le corps physique de l'homme: les genoux, les tissus réticulo-endothéliaux et la tension artérielle.

Maison XI

Les amis.
Les protecteurs.
L'aide et le profit qu'on peut en obtenir.
La confiance en eux.

Les secours.
Les appuis.
Les recommandations.

Les réunions.
Les projets.
L'utilité d'entreprendre une démarche.
Le succès ou l'échec qui lui est réservé.

L'examinateur.

La ville.
La patrie.
Les cadeaux.
Les promesses.
Les espérances.
La chose souhaitée ou demandée.

L'électricité (dans l'espace).

Dans le corps physique de l'homme: les jambes, les chevilles, le sang.

Maison XII

Les épreuves en général (même les examens).
Les ennemis privés ou cachés.
Les accidents, les calamités.
La tristesse.
Les sabotages.
La police.
Les éboulements.
Les cachettes.

> Le refoulement.
> Les inhibitions.
> L'illusion.
> La fraude, les douanes.

La fuite des responsabilités.
La limitation totale des possibilités individuelles.
La réalisation prochaine en attente.
Les indemnités à régler.
Les déficits.

> Les maladies incurables.
> Les infirmités.
> Les opérations chirurgicales.
> Les grossesses.
> Les accouchements.

Les emprisonnements.
Les prisonniers.

Les endroits où il y a perte de liberté:

> les hôpitaux, les institutions charitables, les maisons de repos, les couvents, les maisons de retraite, les asiles, les pensions.

Les lieux où l'on travaille:

> les laboratoires, les usines, les chantiers.

La police, les pompiers, la médecine d'urgence.

Les gros animaux, chevauchables ou de trait.
Les écuries.

La photographie, les miroirs. Tout ce qui possède un pouvoir réfléchissant.

Les drogues, l'alcool.

La natation, les piscines, etc.

Dans le corps physique de l'homme: les pieds, les articulations, la lymphe.

Case 13

Le Tribunal

Domicile du Témoin Droit Le passé

Il se rapporte au questionneur.

Son passé.

Renseignements sur le motif de la demande.

C'est le Juge des cases 1, 2, 3, 4, 11 et 12.

C'est l'indication des influences du passé du consultant, qui imprègnent encore celui-ci et qui le lient, le freinent, pour avancer.

Ce lien d'attache tend à le maintenir sur le *statu quo*, et bien sûr dans l'hésitation à prendre une décision.

C'est la joie, le bonheur ou la tristesse et les échecs des événements du passé qui vont peser sur son avenir.

La figure de ce Témoin c'est aussi les obstacles qui peuvent venir de lui-même.

Cette figure peut également signifier et représenter les engins de locomotion comme les autos, les avions, les trains, etc.

Ce Témoin Droit révèle les éléments qui faciliteront ou, au contraire, qui entraveront la réalisation de la Sentence, selon qu'elle sera favorable ou non.

Case 14

Le Tribunal

Domicile du Témoin Gauche Le futur

Ce Témoin se rapporte à la question, à la chose demandée.

Le futur. Il indique la réussite ou l'échec de ce qui est demandé; c'est le résultat qu'on attend.

Il montre les obstacles, également les aides provenant de l'extérieur, plus précisément les éléments qui peuvent entraîner ou retarder la réalisation de la Sentence, si elle est défavorable.

Au contraire, si elle est bénéfique, ce seront les éléments qui favoriseront cette réalisation.

Ce Témoin est le Juge des cases 5, 6, 7, 8, 9 et 10, qui marquent les influences du futur. Elles pousseront et entraîneront également en avant tout ce qui est susceptible de dynamiser ce futur.

Si la figure du Témoin est défavorable, elle indiquera des ennuis, des obstacles, des difficultés, et bien sûr la tristesse qui en découlera.

Par contre, si la figure est favorable, c'est l'indice de facilités pour réaliser la Sentence.

Si les deux Témoins sont partagés, cela indiquera du retard et des difficultés à surmonter.

Case 15

Le Tribunal

Le Juge

La véritable réponse n'est pas fondée sur l'interprétation du seul examen du Juge ou de la Sentence.

En fonction de la question posée, on doit se former une opinion d'après le symbolisme des deux Témoins et du Juge.

Deux bons Témoins et:

a) un bon Juge = amélioration de ses qualités
b) un mauvais Juge = délais, difficultés ou conséquences fâcheuses

Deux mauvais témoins et:

a) un bon Juge = satisfaction partielle
b) un mauvais Juge = franchement mauvais

Témoin Droit bon et **Témoin Gauche mauvais** avec:

a) un bon Juge = résultat peu satisfaisant
b) un mauvais Juge = résultat mauvais

Témoin Droit mauvais et **Témoin Gauche bon** avec:

a) un bon Juge = mauvais début, bonne terminaison
b) un mauvais Juge = début difficile, mauvaise foi ou long retard

Note: Tenir compte également des Maisons par lesquelles ont pu passer les trois figures.

Case 16

Le Tribunal

La Sentence

La Sentence n'est pas la véritable réponse à la question posée. Elle confirme ou ne confirme pas la réponse donnée par le Juge.

Avec un Juge positif (favorable) et une Sentence:

a) favorable = elle confirme la réponse positive ainsi que la satisfaction du consultant
b) défavorable = elle annonce des difficultés dans la réalisation positive de la question.

Note: Les réponses ainsi obtenues peuvent être nuancées par l'interprétation symbolique des figures en cause.

Le Juge spirituel

Il se construit de la façon suivante:

1- Figure de la Maison I + figure de la Maison de la question + figure du Juge.

2- S'il n'y a aucune Maison de la question:

   Figure du Juge + figure de la Maison dans laquelle se situe la Part de Fortune.

Ce Juge éclaire sur la satisfaction que le questionneur retirera du développement de la réponse, du verdict donné.

Cette figure peut lever une indécision ou bien préciser un détail.

Si elle est identique à la Maison I, elle est particulièrement forte.

LES FIGURES EN MAISONS

Chacune des seize figures géomantiques a un symbolisme particulier qui lui est propre et dont il faut toujours tenir compte. Il est à la base de toutes les interprétations qu'il inspire dans les douze domaines de la vie (les Maisons).

Il faut l'adapter avec les mots les plus justes aux diverses circonstances envisagées.

Il ne peut pas tout exprimer à la fois, mais seulement dans le domaine choisi.

Dans l'interprétation des réponses à une question il y a lieu de ne pas dévier du fil conducteur qui doit mener à la réponse finale, à travers les données des douze Maisons.

Il est donc indispensable de choisir les réponses en rapport avec la question, parmi l'éventail proposé par le symbole.

Nous nous sommes exprimés quelquefois par des images ou des proverbes et nous avons fait souvent des commentaires, dans le but de faciliter la rédaction des interprétations.

Par ailleurs, lorsque nous écrivons: «Les valeurs sont à la baisse ou les moyens de communication ou de transport sont incertains», cela concerne exclusivement l'intéressé et n'a aucun caractère de généralité.

Dans les exposés qui suivent, nous n'avons envisagé que des interprétations concernant les domaines les plus souvent consultés.

Pour être plus précise, l'interprétation doit toujours tenir compte de l'accord des éléments entre la figure et la case qu'elle occupe.

Acquisitio

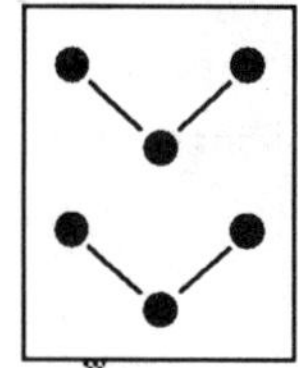

Figure: Air, fixe, entrante.

Symbolisme: Tout contenant avec une ouverture. Tout réceptacle.

En Maison I: Facilite l'ascension et la réception heureuse des choses désirées, ainsi que la réussite de ce que l'on souhaite.

C'est une belle vitalité, le bon appétit, l'assimilation non seulement de la bonne chère qui va causer de l'embonpoint, mais aussi des expériences intellectuelles.

On est ouvert aux recherches, avide de connaissances qui prendront place dans une bonne mémoire, avec un esprit progressiste et ambitieux.

L'intéressé est prévoyant, thésauriseur, patient, fidèle, intelligent, stable dans ce qu'il entreprend comme dans ses idées et ses projets, qu'il peut mener à bonne fin.

Il réfléchit, médite ses décisions avant d'agir et s'entoure de tous renseignements pour réussir.

En Maison II: Augmentation des gains à prévoir, accroissement de richesses et de fortune.

Les profits arrivent de toute part: salaires, rémunérations de toute sorte, rentes, remboursements, placements mobiliers ou immobiliers.

Achats de valeurs mobilières. Bonne gestion et fructification des biens.

En Maison III: Les frères, les sœurs, les proches sont poussés à acquérir des biens matériels ou encore des connaissances intellectuelles.

Le moment est favorable pour les études et tous les moyens de communication: paroles, écrits, publications éducatives, soit passivement, soit en s'y engageant activement.

Il y a un besoin de nouveaux contacts et de déplacements. On est enclin à entreprendre des réalisations concrètes, particulièrement dans le domaine des communications et de l'enseignement.

Actuellement, des entreprises commerciales ou industrielles peuvent très bien se créer avec succès.

Des démarches sont profitables, car il y a de nouvelles et utiles relations à nouer: «C'est dans l'air.»

En Maison IV: C'est le moment d'accroître son confort intérieur, d'améliorer son existence au foyer, d'agrandir sa résidence.

La période est favorable à l'augmentation du patrimoine familial immobilier, par achats ou échanges, ou hypothèques s'il y a une figure favorable en Maison II, Maison V et Maison VII. De toute façon, c'est l'indice d'un foyer confortable, aisé, heureux, dans lequel il ne manque rien.

Cette Maison représente également le père du consultant ou la mère de la consultante. *Acquisitio* les représente plutôt «dodus», car ils semblent se bien tenir à table et sont, par conséquent, en bonne santé actuellement, malgré les abus gastronomiques. Cet état entraîne bonne humeur et joie de vivre.

(Ceci sous réserve d'accord des éléments en présence, comme on doit toujours en tenir compte dans toutes les Maisons.)

En Maison V: Si le consultant a des enfants, ceux-ci pensent présentement faire des acquisitions: maison, terrain s'il y a une bonne figure en Maison IV (compagnie). Elles se feront plus ou moins facilement et rapidement selon les éléments en présence; elles seront favorables si la figure en Maison VII est elle-même favorable (sextile).

Vos sentiments augmentent et viennent à maturité. Bonne période pour renouer des relations sentimentales.

En ce qui concerne le consultant, il lui est possible d'avoir une ou plusieurs liaisons amoureuses, passablement satisfaisantes, même profitables et peut-être illégitimes.

S'il veut faire un placement, il lui est possible de le réaliser actuellement, le moment est propice pour les spéculations fructueuses (toujours nuancées par les accords des éléments).

En Maison VI: Le consultant peut s'attendre à avoir beaucoup de travail. Pour savoir s'il sera payant, examiner la Maison II. L'accord des éléments entre la figure et la case géomantique indiquera s'il lui plaira (Air-Feu). Nous savons déjà qu'il sera stable (figure fixe et entrante).

Une phase de progrès s'ouvre. Promotion en vue. Bienveillance de la part des supérieurs.

S'il est cultivateur, il peut s'attendre à un rapport fructueux tant dans sa culture que dans l'élevage d'animaux.

Et si l'objet de la question concerne la santé, cette figure apporte l'énergie, le courage, les forces pour résister aux maladies ou pour les vaincre.

En Maison VII: On peut compter sur la «richesse» du partenaire ou des associés s'il est question d'eux. Ne pas considérer «richesse» exclusivement dans le sens monétaire, ou même biens matériels. La richesse peut se rencontrer dans de nombreux domaines. Les éléments en présence précisent l'interprétation, ainsi que les autres dispositions du thème.

Une association, comme un mariage, peut être profitable dans la fidélité des engagements.

Côté justice, c'est la victoire en vue avec compensation ou indemnité.

C'est le moment pour conclure des contrats, en plus du mariage (voir Maison V); tout genre de contrat sera avantageux: travail, transaction, achat, vente, location, etc. Le moment est opportun pour agir dans ces domaines dans lesquels la chance est présente.

En Maison VIII: Si le consultant en a «ras le bol» et désire changer sa vie, le moment est favorable pour «faire peau neuve», pour engager une mutation complète de son existence. Cette transformation serait très favorable pour repartir «du bon pied».

Dans le cas où le consultant pourrait hériter, le produit de l'héritage serait important.

C'est aussi la possibilité de réparer un préjudice qu'on a causé; puis cette figure efface la crainte de la mort qui pourrait survenir naturellement, doucement dans le cas d'une très grave maladie.

Cette figure apporte également la capacité de se tirer d'affaire dans des cas désespérés.

Si le consultant questionne sur ses rentes, sa pension, sa retraite, il n'a aucun souci à se faire.

Si dans tout ce qui est possible dans les domaines concédés à cette Maison rien ne correspond à la question posée ou aux occupations du consultant, et qu'il s'adonne aux études spirituelles, il peut s'attendre à recevoir des dons et des pouvoirs psychiques.

Les biens laissés par une affaire en faillite (morte) peuvent très bien réapparaître ici. Alors, ils seraient importants et réjouiraient les créanciers.

En Maison IX: Perspective d'un long voyage, enrichissant surtout dans le domaine de l'esprit, et selon l'élément de la case où se trouve cette Maison on connaîtra par quel moyen il pourra se faire: Terre, Eau, Air, Feu (chemin de fer).

Si on peut faire un investissement à l'étranger, c'est le moment favorable; c'est aussi la prospérité des affaires religieuses.

Actuellement, l'intellect est constructif, avide de connaissances et c'est très favorable aux choses de l'esprit, aux études qui sont en rapport avec la spiritualité, donc à son enseignement. On y trouvera certainement un épanouissement de sa personnalité.

La spiritualité matérialisée peut être à l'ordre du jour.

Si on espère un héritage avec désaccord des éléments en Maison IX, qui est en compagnie de la Maison VIII, c'est une vue de l'esprit, une illusion.

En Maison X: Réussite dans la situation sociale, la profession, la carrière. Le destin en général s'accomplit dans d'excellentes conditions.

Le niveau de vie s'améliore, les honneurs, les ambitions se réalisent au mieux.

Le crédit s'affirme, ainsi qu'une bonne renommée.

Si la question concerne une entreprise, elle est au sommet et rayonne d'un bel éclat.

Les patrons, directeurs, employeurs sont à l'honneur, ils prennent de l'importance et deviennent un point de mire.

En médecine, c'est l'excellente qualité et l'efficacité des médicaments prescrits.

Si un examen est en vue, sa réussite est en bonne voie.

Cette figure concerne la mère du questionneur ou le père de la consultante; elle dénote que ces personnes cherchent à s'émanciper, à sortir des sentiers battus.

En Maison XI: Actuellement, l'ambiance est à la multiplication des relations amicales et aux nouveaux amis; ceux-ci seront efficaces et on pourra compter sur eux. Ils seront aisés et appuieront volontiers le consultant. Socialement, ils auront une certaine autorité.

Il y aura la possibilité de trouver des appuis financiers et de faire des emprunts.

Le questionneur est enclin à faire de nombreux projets, dans le but d'acquérir. Il aura le goût des réunions, particulièrement celles où il sera question du social (amélioration des conditions de vie en général). Les promesses seront nombreuses et beaucoup d'espoirs permis.

En Maison XII: Le symbolisme de cette figure est interprété favorablement lorsqu'il s'agit d'accroissement, de gains, d'abondance de choses positives dans la vie, tels qu'argent, honneurs, satisfactions diverses.

Cependant, dans le domaine de la Maison XII, l'accroissement, l'abondance se situe dans les épreuves, ce qui ne veut pas dire qu'elle soit négative, mais probablement nécessaire. Au contraire, le questionneur subira relativement bien ces multiples épreuves et en retirera un véritable enrichissement. Il n'y a donc pas à s'effrayer, mais à se préparer calmement et avec confiance à certaines difficultés, à des obstacles qui s'arrangeront favorablement.

Côté santé, il y aura peut-être un excès dans la nourriture, avec des conséquences fâcheuses.

Côté travail, cela peut se concrétiser par un excès de zèle, un besoin immodéré de gagner de l'argent qui entraînera des servitudes, des contraintes qui indisposeront le conjoint.

Il est possible que l'acceptation de grosses responsabilités risque d'entraîner une importante limitation de liberté. Il est possible également que des indemnités ou amendes soient difficiles à acquitter ou un déficit difficile à combler.

Bien sûr, l'abus d'alcool, de drogues, le manque de sommeil ou de repos par excès d'occupations psychiques, intellectuelles ou physiques ne sont pas à exclure.

Étant donné la qualité de la figure, on peut être certain que ce qui peut arriver de désagréable dans l'un de ces domaines se terminera en fin de compte au bénéfice de l'intéressé.

Si le questionneur est un agriculteur, les vicissitudes malheureuses dans ses récoltes ou son cheptel ne seront pas mortelles: il s'en relèvera en ayant acquis une expérience salutaire pour l'avenir.

Albus

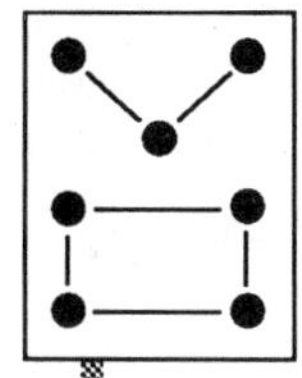

Figure: Air, mobile, entrante.

Symbolisme: Pureté physique et morale. Blancheur. Amour.

En Maison I: Que cette Maison représente le questionneur ou une entreprise, l'ambiance est au calme, très ouverte à l'inspiration, l'intuition, la lumière, favorable au développement dans l'équilibre, la prudence, l'honnêteté et l'absence de passions.

Pour le questionneur, c'est l'ouverture vers le haut, la connaissance, le savoir, le spirituel et les influences cosmiques qu'il pourra utiliser favorablement dans le moment présent.

Ces influences lui donneront un sens pratique, de l'habileté, de l'adaptabilité, du flair l'incitant à des initiatives intelligentes. Il vit actuellement dans l'optimisme, car il a l'art de bien se débrouiller. Notons que c'est une personne délicate, gentille, minutieuse et méditative.

L'influence d'*Albus* aide dans les pourparlers et apporte l'efficacité dans les contacts et les discours. Les gens d'affaires sont donc particulièrement aidés, notamment dans les arts et le commerce de détail, où la patience est de rigueur pour réussir.

Le consultant aurait tendance à hésiter devant les efforts.

En Maison II: Financièrement, c'est le calme comme dans tous les gains en général; c'est la stabilité. Les influences cosmiques pures de Vénus «coulent» régulièrement dans la situation financière du consultant ou de l'entreprise.

Les gains ou les bénéfices peuvent affluer honnêtement à l'occasion de bonnes transactions, d'excellents marchés, de relations amicales ou encore de voyages fructueux.

En Maison III: L'ambiance n'est pas aux nombreuses relations fatigantes et inutiles. Au contraire, elles demandent à être plus nombreuses mais agréables, sûres et enrichissantes et pas uniquement sur le plan matériel.

Cet état de choses intéresse aussi bien les proches ou collègues que les frères et sœurs.

Pour ceux qui étudient ou qui enseignent, leurs activités intellectuelles se feront dans le calme, la paix et dans une perspective de réussite.

Le moment est favorable pour les écrits, les publications, tout ce qui concerne les textes; également pour les réalisations concrètes d'entreprises commerciales ou autres. Ne pas laisser passer ces bonnes dispositions cosmiques.

En Maison IV: C'est le calme, la tranquillité qui doit régner dans le foyer où l'on peut trouver le bonheur et la joie de vivre.

La maison est confortable, propre, aérée, agréable, en bon état et bien entretenue. Il fait bon y vivre dans l'accord des membres d'une famille équilibrée et optimiste.

C'est une maison dans laquelle on peut parler ou même enseigner la morale, l'amour, la spiritualité, les arts.

Sous les auspices de cette bonne figure, le patrimoine immobilier familial est géré avec prudence, habileté, honnêteté et efficacité.

Les qualités d'*Albus* imprègnent, colorent quelle que soit la question posée: que ce soit la fin de la vie d'une personne, d'une entreprise ou d'une chose quelconque, cet événement se déroulera dans la sérénité.

Cette figure dépeint actuellement le père du consultant ou la mère de la consultante: on dira que ce sont des personnes de bonne moralité aimant les arts.

En Maison V: Sur le plan des sentiments, ceux-ci sont purs, honnêtes, sincères sans passion. C'est l'affection désintéressée, l'amour platonique, la chasteté.

Les enfants ont leur place dans cette Maison. Elle indique le calme, la réflexion, l'esprit studieux qui mène à la réussite.

Chez le consultant, l'esprit d'initiative se développe, avec l'art de bien se débrouiller dans la vie, et ce dans l'honnêteté et la satisfaction de l'acquis pouvant mener à une certaine négligence dans les efforts.

Si l'intéressé aime les plaisirs, le luxe, les jeux, il ne va pas s'en priver; cependant, la sagesse l'emportera et il en retirera quand même une grande satisfaction.

Cette figure est très favorable à l'enseignement, aux écoles, donc à ceux qui s'en occupent.

Les opérations financières, les spéculations ou investissements peuvent être entrepris, sans espoir de gros gains mais cependant avec une rentabilité satisfaisante.

En Maison VI: Adaptation du travail à la personnalité du consultant qui peut s'épanouir dans cette activité. Enrichissement technique dans un intérêt soutenu pour ce que l'on fait.

Développement dans les connaissances professionnelles, approfondissement et meilleure utilisation des moyens professionnels mis en œuvre, agréablement sans contrainte.

Compétence accrue qui augmente la valeur professionnelle. Chance professionnelle. Confiance en ce que l'on fait, ainsi que dans le résultat des tests professionnels.

Le lieu du travail est agréable, on y travaille dans le calme, l'initiative, en véritable débrouillard sans besoin de faire de gros efforts, ce qui n'est pas pour déplaire au consultant.

S'il est question des serviteurs, employés, salariés, sous-traitants, on peut faire confiance tant à leur valeur professionnelle qu'à leur honnêteté; cela comprend les infirmières et tout le personnel soignant.

Si la question concerne la santé physique ou morale, la réponse est qu'il n'y a pas d'aggravation à envisager. C'est le *statu quo*, l'équilibre en l'état. La confiance est de rigueur dans l'amélioration; l'intuition et la lumière arrivent pour résoudre au mieux les problèmes de santé. Les remèdes conseillés sont bien choisis, et le malade bien soigné.

En Maison VII: S'il y a un mariage en perspective, c'est l'harmonie, le bonheur, mais peut-être la stérilité.

S'il est question du conjoint, c'est la courtoisie, la finesse d'esprit et de comportement qui dominent, accompagnées d'un peu de flegmatisme; on peut compter sur sa fidélité.

Concernant des associés, on peut faire confiance à leur honnêteté et à leur stabilité.

Si on est en négociations, celles-ci sont en bonne voie de réussite avantageuse.

Si la question concerne des contestations ou un procès, il y a des chances de bons résultats; un divorce se liquidera dans de bonnes conditions.

Le moment est favorable pour traiter les contrats de toute sorte: mariage, travail, vente, achat, location, etc.

En Maison VIII: Un héritage est possible; également des avantages ou gains par mariage ou par associations.

Un grand changement, un bouleversement important dans la vie est en vue. S'il se réalise, il sera bénéfique. Le renouveau épurera le passé, décantera la situation. Le calme et l'équilibre reviendront. L'esprit studieux, les goûts artistiques et de sociabilité émergeront du quotidien.

Ne pas continuer à penser que le mieux est nécessairement l'ennemi du bien comme a tendance à le considérer le consultant, mais que souvent un «mal engendre un bien».

La capacité à se tirer d'affaire est «dans l'air»; il y a lieu de ne pas laisser passer l'occasion qui est offerte.

En cas de grave maladie, cette figure apporte du «baume dans le cœur», l'espoir d'amélioration, même de guérison.

Les obstacles qui peuvent retarder le paiement des pensions, retraites ou rentes ont tendance à être levés.

En Maison IX: Le psychisme commence à s'épanouir, ainsi que le calme et la modération dans les opinions politiques et religieuses.

Le respect des convictions d'autrui, la modération et la mesure dans les critiques, ainsi que le désir de conciliation se manifestent dans un idéal de non-violence.

C'est un rayonnement de paix, d'équilibre sur autrui que dégage le consultant dont l'évolution spirituelle est manifeste.

S'il est question d'enseignement moraliste, spirituel ou initiatique, l'ambiance est favorable, l'Instructeur valable et efficace.

L'école, faculté, université ou autre, représentée par cette figure est sérieuse et de bonne renommée (ou elle le deviendra).

Les fonctions intellectuelles du consultant se développent, ainsi que le don des langues étrangères, et ce dans le calme et la sérénité.

L'apparition de cette figure dans cette Maison est favorable à ceux qui étudient les sciences ou qui les pratiquent.

S'il y a un long voyage à faire, il se déroulera sans incident, avec prudence, réflexion et préparation. Il sera plus enrichissant qu'agréable et amusant. C'est le cas également pour les contacts à l'étranger.

En Maison X: L'ambiance est à la consolidation de la profession, à l'affirmation de sa stabilité. Si la profession est modeste, elle est sûre.

L'équilibre, l'aplanissement de certaines difficultés dans la profession la stabilisent et la rendent plus crédible.

La confiance dans la profession se maintient ou renaît.

Le crédit du questionneur est solide sans aucun effort et son auteur est bien considéré. Il a l'estime des autres plus que des honneurs.

S'il s'agit d'une entreprise, elle est stable, de bonne renommée.

C'est également le cas des patrons, directeurs et employeurs s'il en est question; leur crédit, leur compétence ne sont pas mis en doute; leur moralité et leur honnêteté apparaissent comme bonnes.

Si le médecin du consultant est en cause, qu'on se rassure, car il est compétent pour conseiller le meilleur traitement, et le pharmacien pour remplir correctement la prescription.

Albus dans cette Maison est le symbole actuel de la mère du consultant ou du père de la consultante; c'est dire tout le bien qu'on peut penser de ces personnes.

En Maison XI: Le questionneur peut compter sur ses relations amicales, peut-être pas avec une très grande efficacité, car l'effort n'est pas «leur fort». Mais elles s'exerceront honnêtement avec fidélité et adaptabilité aux circonstances.

Les projets et les espoirs du consultant sont empreints de pureté et d'amour. L'optimisme n'y fait pas défaut et ils s'ébauchent calmement et dans la réflexion.

L'intuition pousse le questionneur dans la bonne direction pour une heureuse réalisation dans tout ce qu'il entreprend.

Albus représente ici l'examinateur dans tout examen. En analysant le symbole de cette figure, on aura une idée de l'attitude de celui-ci et on pourra essayer de s'adapter à son comportement.

En Maison XII: Le consultant est une personne qui ne peut pas avoir beaucoup d'ennemis. Seuls les jaloux de son attitude et des ses qualités peuvent médire et le critiquer.

Ce sont des ennemis de mauvaise foi dont les allégations ne peuvent pas porter préjudice au consultant.

Si le consultant doit faire un séjour dans un hôpital ou une clinique, ce sera pour purifier son psychisme ou son corps physique.

Une cure de repos peut lui être nécessaire pour faire le «point», pour prendre de la distance avec les soucis quotidiens.

Cette retraite lui serait bénéfique étant donné sa grande réceptivité psychique pour toute la lumière qui vient d'en haut.

En ce qui concerne les ennuis qu'on qualifie d'épreuves, celles-ci se passeront calmement et dans la résignation à cause de leur côté bénéfique.

Amissio

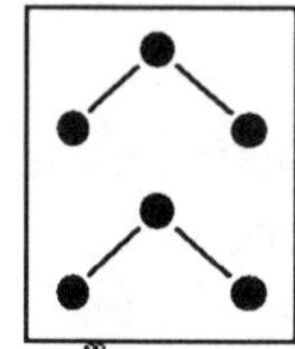

Figure: Eau, mobile, sortante.

Symbolisme: Un sac qui se vide. Ouverture vers le bas.

En Maison I: Cette Maison est un symbole de diminution, de disparition, de perte dans tous les domaines, et ce avec les nuances données par l'harmonie ou non des éléments de la figure avec le signe de la case où elle se trouve.

Ce signe va concerner les énergies, le tonus, la vigueur, le manque de désir de vivre, les mœurs, le comportement.

La suite logique et le découragement, le laisser-aller, la négligence, l'affaiblissement moral, la dépression, la neurasthénie, le dégoût de la vie.

Cet état d'esprit chez une personne ou une entreprise peut avoir les conséquences suivantes: appauvrissement, amaigrissement, restrictions en toute chose, chute, dispersion des énergies contribuant à un échec.

C'est un gros nuage noir qui passe, qui cache la lumière, qui obstrue tout. Le remède: la patience, l'acceptation courageuse sachant que tout est cyclique; «après la pluie, le beau temps» et «rien n'arrive pour rien».

En Maison II: L'influence négative de cette figure entraîne une diminution des gains, quand ce n'est pas pire; un échec financier, une dissipation ou perte des biens acquis.

S'il y a un état de pauvreté, il risque de s'amplifier, la remontée n'est pas en vue.

L'ambiance est aux difficultés financières auxquelles il va falloir faire face.

Les sorties d'argent vont aller bon train. Dans une entreprise comme chez le particulier, c'est le déficit, le gaspillage.

En Maison III: Les relations avec l'entourage s'estompent au point de disparaître; les contacts, les rencontres, les déplacements se font rares. Les démarches sont plutôt nuisibles.

On n'a plus le goût aux études, et il est question de laisser tomber. Si elles persistent, elles ne sont pas assimilées et c'est alors une perte de temps et l'échec en perspective aux examens.

Par conséquent, il y a de mauvais élèves pour le maître. Une mauvaise éducation peut en résulter.

Les facultés intellectuelles sont au plus bas; le niveau intellectuel des étudiants est mauvais; la mémoire fait défaut.

Les écrits, les publications, les imprimés de toute sorte sont pauvres et peu enrichissants.

On ne peut pas compter sur les communications quelles qu'elles soient, courrier, téléphone et autres, étant donné les retards, les pertes, les coupures possibles.

Les divers moyens d'expression sont à surveiller, car ils peuvent être mal interprétés et devenir même dangereux.

L'état fonctionnel des entreprises, industrielles ou artisanales, est en baisse. Par conséquent, ce n'est pas le moment opportun pour entreprendre.

En Maison IV: Il y a idée d'un foyer désuni, la disparition de l'esprit de famille, également d'une résidence mal entretenue; c'est un peu un délabrement qui s'annonce.

C'est le déclin du patrimoine familial, l'éparpillement des biens de famille et de l'intérêt qu'on porte à celle-ci.

Le laisser-aller s'installe, les pertes de revenus immobiliers se précisent, ainsi que leur morcellement.

C'est peut-être aussi la fin d'un but poursuivi jusqu'alors et qui n'a pas abouti: la fin, la décadence d'un amour, ou d'une entreprise familiale ou autre. (Ne pas oublier l'adage: «C'est parfois un mal pour un bien.»)

En Maison V: L'absence d'enfants est possible: par infertilité, avortement, abandon, fugue, etc., ou perte d'un amour filial, désintéressement des enfants, non dans le sens parents-enfants, mais plutôt enfants-parents.

L'ambiance est à la morosité, au dégoût des plaisirs et des distractions, au repli sur soi-même.

Le faste, les lieux où l'on s'amuse n'ont aucun intérêt et laissent indifférent.

On perd l'affection d'une personne ou une situation disparaît. Appauvrissement d'une relation; une séparation se prépare. Fin de quelque chose.

On ne recherche même pas le soleil, c'est l'apathie, le désintéressement pour les amours, pour des fiançailles, d'où rupture d'engagement.

Pour les enseignants, ce n'est pas l'euphorie; au contraire, c'est plutôt l'échec: l'enseignement ne passe pas. Puis l'école s'enracine, vieillit, n'évolue pas, se fossilise.

En ce qui concerne les opérations financières, les spéculations, les investissements, il est préférable de ne pas y penser, car ils seraient désastreux.

En Maison VI: Actuellement, l'emploi est en danger, la diminution, le ralentissement des affaires est en marche et cela peut aller jusqu'à la perte d'emploi.

Le lieu du travail peut disparaître.

Fatigue ou laisser-aller. Surmenage.

Si un examen ou des tests professionnels sont prévus, il faut s'attendre à leur échec et en prévoir les conséquences.

Le moment n'est pas favorable pour entreprendre des études professionnelles: elles ne mèneraient à rien.

Présentement, il ne faut pas compter sur un avancement ou une promotion professionnelle.

Si le consultant emploie des salariés, attention aux défections, aux absences temporaires ou définitives (si ce secteur fait partie de la question).

Quant à l'état de santé, il n'est pas brillant, on va vers une déperdition d'énergie, vers un affaiblissement, une dégénérescence.

Il y aurait même un désintéressement du personnel soignant.

En Maison VII: Il y a un risque de perdre son conjoint ou son ou ses associés, si l'on est en affaires.

Disparition, séparation physique ou perte d'intérêt pour la situation. C'est peut-être l'échec par manque de but précis, mauvaise entente ou mauvaise gestion.

La foi conjugale est mise à l'épreuve.

S'il y a litige, contestation, procès ou jugement en cours, le pronostic est mauvais, il faut s'attendre aux échecs et parer aux conséquences possibles.

Le niveau des affaires est en baisse sérieuse, le déficit pointe à l'horizon et risque de s'aggraver dangereusement. La faillite guette le négligent.

Le moment n'est pas conseillé pour traiter des affaires, signer des contrats quels qu'ils soient. La sagesse réside dans l'attentisme.

Tout engagement pris actuellement risque de ne pas être tenu et de tomber à l'eau.

En Maison VIII: Le moment serait mal choisi pour entreprendre une rénovation, une transformation, une mutation quelconque, même dans son genre de vie. Cela irait à contre-courant et serait peut-être catastrophique.

Si quelque chose doit changer, la sagesse conseille d'attendre une période plus propice. Féconder, créer actuellement, c'est aller au désastre.

En ce moment, il est extrêmement difficile de se tirer d'affaires embrouillées; il vaut mieux attendre de meilleures occasions.

Si le conjoint possède des biens, ils sont en danger de perte ou de disparition, c'est également le cas des biens appartenant aux sociétés; peut-être est-il encore temps de se retirer si on y a des intérêts.

Qu'on ne s'étonne pas si des rentes, pensions, retraites diminuent et même si elles disparaissent, «le bas de laine se vide».

Si un héritage est en vue, il ne faut pas compter dessus.

En Maison IX: L'évolution spirituelle, le mental, le rayonnement sur autrui sont en chute libre.

Perte de confiance, de la foi, le matérialisme prend le dessus.

L'intérêt pour un rôle social diminue.

L'enseignement comme le Maître perdent leur crédibilité.

Le laisser-aller dans l'enseignement et ses principes de base s'installe au détriment de toute efficacité et de tout enrichissement.

On ne peut plus faire confiance à l'École, pas davantage aux écrits qui s'y rapportent. Tout tend à être remis en question.

L'ambiance n'est pas seulement celle de l'esprit, mais concerne les sciences, comme ceux qui les pratiquent ou les enseignent.

L'apprentissage ou l'enseignement des langues étrangères devrait être remis à plus tard, car le moment est défavorable. On peut même perdre ce qu'on a acquis.

Les grands voyages et les relations avec l'étranger ou les étrangers sont à éviter, car il y a risque d'échec, de manque d'assimilation, de temps perdu.

En Maison X: Le but qu'on veut atteindre est actuellement compromis.

La situation sociale, la profession est en perte de vitesse, elle s'amenuise ainsi que la réussite sociale.

Le niveau de vie et même les ambitions diminuent.

Le consultant doit s'attendre à une baisse de crédit, de la confiance mise en lui par les autres.

Les directeurs, patrons, employeurs sont en perte de pouvoir et de prestige; leur situation est contestée et leur emploi compromis.

Actuellement, ils sont mal disposés à l'endroit du consultant.

S'il s'agit d'un médecin ou d'un pharmacien, sa compétence est remise en question et la confiance qu'il inspirait disparaît.

Le symbole de cette figure avec tout ce qu'il suggère reflète l'état présent de la mère du consultant ou du père de la consultante. Ils apparaissent comme des gens pessimistes, manquant d'entrain, désœuvrés.

En Maison XI: C'est le moment de se méfier des amis, car leurs sentiments à l'égard du consultant se refroidissent et font place à l'indifférence. Il ne peut donc plus compter sur leur aide.

Les appuis, les recommandations, le secours vont faire défaut.

Les réunions, les projets prévus sont reportés à une date ultérieure. L'utilité d'entreprendre une démarche est remise en question.

On se joue du consultant avec des promesses qui ne seront pas tenues.

Des espoirs, des choses souhaitables, des cadeaux, tout cela risque bien de tomber à l'eau.

S'il est question d'un examinateur, il a perdu toute valeur et toute crédibilité aux yeux de tous; ou alors il est très âgé, ce qui peut signifier la même chose.

En Maison XII: En continuant à adapter le symbolisme de la figure à la Maison considérée comme nous l'avons toujours fait, *Amissio* va libérer le consultant des épreuves possibles.

C'est la diminution, la disparition, l'échec, le déclin des épreuves.

Ce sont donc des améliorations dans toutes les choses négatives: les ennemis se découragent, les inhibitions, l'illusion, les contraintes, les limitations de toute sorte; le manque de liberté pour cause de maladie, les infirmités, le mauvais travail, les dissentiments, les préjugés s'amenuisent.

Les sorties d'argent intempestives diminuent.

Les restrictions se relâchent.

Les baisses, les déperditions d'énergies se tarissent.

Si la question concerne l'agriculture, c'est la fin de la stérilité des sols, d'une épidémie atteignant les animaux.

En résumé, *Amissio*, figure de vide, de disparition se trouve être bénéfique dans cette Maison qu'elle «vide» de son contenu de limitation éprouvant.

Figure «sortante», elle aide à s'en sortir!

Caput Draconis

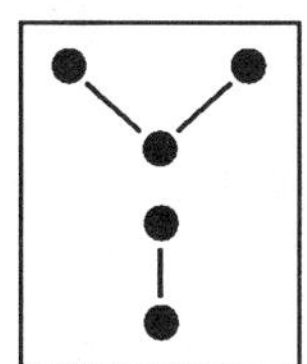

Figure: Air, fixe, entrante.

Symbolisme: Évolution par acquisition. Réceptivité enrichissante. Utilisation des principes et leur concrétisation matérielle.

En Maison I: Le consultant ou la chose représentée évolue par acquisition et réceptivité.

C'est l'enrichissement par assimilation de ce que l'on reçoit, l'éveil aux principes fondamentaux qui doivent mener au développement et aux réalisations.

C'est la progression dans le savoir qui peut permettre la remontée, l'ascension vers une haute spiritualité, aussi bien que dans la vie sociale.

Ces dispositions vivifient la richesse intellectuelle, donnent un esprit inventif, de l'ambition, des idées fécondes.

Pour une entreprise, c'est la décrire comme une affaire florissante, promise à la réussite. Si c'est une compagnie qui commence, elle part sous le signe du succès.

En Maison II: Les gains, les profits montent, progressent.

Ils s'édifient sur des bases solides et bien ancrées.

Ils se développent lentement, mais sûrement et honnêtement.

L'imagination, l'intelligence instinctive ne sont pas étrangères à cet épanouissement des revenus.

Cet épanouissement est possible et sera causé par une grande ouverture d'esprit avec le sens des affaires et des responsabilités.

De plus, le consultant peut s'attendre à des coups de chance.

En Maison III: La confiance est bien placée dans les proches: les frères et sœurs, les collègues et même les voisins, avec lesquels règne une bonne entente.

La période est favorable pour des déplacements, et la signature de contrats qui seront enrichissants.

Les démarches, les petits voyages seront favorables aux bonnes acquisitions intellectuelles.

Il est également bon de commencer des études ou de développer celles en cours, car l'ambiance est propice à l'assimilation. L'esprit est ouvert et réceptif.

Celui qui veut écrire n'a pas à hésiter, car il est en forme pour exprimer au mieux des choses intéressantes.

Tous les moyens d'expression sont très valables; leur utilisation, leur amélioration ne pourront présenter que des avantages.

Les influences sont favorables aux créations commerciales, industrielles ou artisanales, ainsi que celles concernant les communications. Bien conduites, elles ne peuvent que réussir.

En Maison IV: L'entente dans la famille est bonne. Elle repose plus sur la spiritualité, le bon état d'esprit que sur les richesses matérielles. C'est dans la stabilité et l'intelligence que le foyer s'épanouit.

La résidence elle-même est agréable et il fait bon y vivre. On y reçoit beaucoup «d'en haut» et «d'en bas», car les visites sont enrichissantes par l'esprit qu'elles véhiculent.

La qualité du patrimoine immobilier familial a tendance à s'améliorer. L'esthétique, l'entretien des immeubles sont des plus satisfaisants. Le niveau social des occupants s'améliore.

Le but poursuivi par le consultant s'élève au-dessus des contingences humaines.

S'il est question de la fin de quelque chose, elle s'en va «en fumée», elle disparaît sans dommages, sans laisser de traces.

Pour un consultant, cette figure montre un père très ouvert aux choses de l'esprit, très intelligent, stable, éloquent. Pour une consultante, cette figure concernera sa mère. Cette description n'est valable que si c'est l'objet de la question.

En Maison V: Le consultant peut s'attendre à beaucoup de satisfaction s'il a des enfants. *Caput*, qui les représente, leur confère l'intelligence, l'ouverture d'esprit et le don des études. Leur réussite est possible, car ils ont le désir d'apprendre.

Personnellement, le consultant éprouve du plaisir dans le domine de l'esprit, dans les émotions qui l'enrichissent, plus que dans les plaisirs matériels et physiques.

Il recherche le soleil pour apprécier la vie qu'il nous insuffle.

Les amours, les relations illégitimes sont pour les autres.

Il apprécie ce qui est beau, l'éclat, le luxe pour le rayonnement que cela lui apporte, et non pas pour éblouir ou se faire remarquer.

S'il est question d'enseignement, il sera de haut niveau, l'école sera renommée pour sa rigueur.

Concernant les investissements, les placements financiers, il ne faut pas s'attendre à des profits immédiats; ils devront «mûrir» pour se bonifier.

En Maison VI: Le travail, et particulièrement le travail intellectuel, est enrichissant, stable, caractérisé par la faculté d'acquérir facilement le savoir. Désir d'édifier, de construire, de commencer quelque chose. Également, besoin de s'élever, de progresser dans le travail et par son entremise.

En réalisant ses objectifs, le consultant s'épanouira et la vie jaillira de ses réalisations professionnelles. Lentement, par son imagination, il arrivera et son travail lui apportera beaucoup de satisfaction.

S'il est question d'état de santé, celle-ci sera bonne ou, si elle ne l'est pas actuellement, elle s'améliorera, et ce en agissant sur la cause, qui est d'ordre psychosomatique. Cela est possible, car le consultant est très réceptif à l'égard des forces cosmiques.

Les employés, les salariés sont intelligents, stables et dévoués. On peut compter sur d'heureuses initiatives de leur part.

Dans le cas d'études, de reconversion professionnelle, le consultant peut envisager le succès et même une promotion.

Nous répétons qu'il faut toujours adapter la réponse à la question. Tout ce qui est possible ne l'est qu'en fonction de ce qui est demandé et des influences du moment; celles-ci se modifient au rythme des activités du questionneur.

En Maison VII: C'est le moment de contracter des engagements, particulièrement ceux dont le but est une élévation par acquisition. Par exemple, s'occuper d'œuvres de bienfaisance élèvera le taux vibratoire, en apportant joie, santé et connaissances; ou enseigner ou participer à des concours qui ouvrent l'esprit et développent l'intelligence.

On peut penser aussi aux contrats de travail dans les moyens d'information, de communication, d'aide aux personnes dépressives, dans des maisons de la culture humaine; également dans l'agriculture orientée vers les plantes ou les fleurs.

Rechercher tout ce qui lève ou élève, c'est ce qui est promis actuellement au consultant.

S'il est question d'achats, ce sera dans l'intention de rénover, de remonter un immeuble ou une affaire quelconque.

Si des associés sont concernés, leur nombre devrait être augmenté, et ils devront être choisis d'un niveau intellectuel assez élevé.

Au sujet des affaires, leur destinée, leur évolution se fera avantageusement par de nouvelles acquisitions.

En Maison VIII: Une mutation, une transformation majeure est en vue, plus dans de nouvelles conceptions de la vie que dans un bouleversement hâtif de la vie quotidienne.

Cette modification dans l'esprit des grands principes influencera par la suite le mode de vie.

Le moment est propice pour mettre en branle cette idée d'un besoin de changement, non motivé par des circonstances matérielles, mais en rapport avec le domaine psychique.

La capacité de se tirer d'affaire vient de l'intelligence instinctive, plutôt que de l'aide extérieure.

Au sujet de maladies incurables ou de longue durée, l'amélioration est possible par une thérapeutique psychologique.

Tout arrive par le haut, et c'est par le haut qu'on en sort.

Les rentes, pensions, retraites, bien que stables, pourraient être modifiées par de nouveaux avantages.

En Maison IX: Si un voyage doit se faire, il sera possible et réalisable, particulièrement à l'étranger ou avec un étranger et, de plus, il sera bénéfique.

Ce voyage apportera des connaissances nouvelles, des renseignements qui permettront de commencer ou démarrer quelque chose.

Des contacts avec l'étranger, personnes ou pays, ne devraient pas être négligés.

Un rôle social pourrait être accepté et assumé; il apporterait avantages et reconnaissance en plus d'une satisfaction morale.

Le moment est favorable pour l'enseignement non conventionnel et pour ses écoles, ainsi que pour la diffusion de ses écrits.

Le recrutement d'enseignants dans ce domaine est favorable actuellement; leur compétence sera excellente ainsi que leurs qualifications.

Si la question concerne l'apprentissage des langues étrangères, la réponse est très favorable; également pour l'étude des sciences.

En Maison X: La réussite sociale se concrétise dans l'autorité et la considération générale. Le sujet est le point de mire et il est donné en exemple de réussite. Par ses qualités de serviabilité, de sagesse et par ses sentiments nobles, il a su s'élever au-dessus des banalités de la vie.

Professionnellement, il est tout désigné pour un poste élevé, car on le sait capable d'assumer les responsabilités de chef.

Il lui est promis un niveau de vie confortable et les honneurs qui conviennent à son rang et à son succès.

Son crédit n'a d'égal que la confiance qu'on lui témoigne devant ses possibilités de réalisations.

S'il est question d'une entreprise, elle pourra atteindre les plus hautes destinées, et son rayonnement dépassera de beaucoup celui de ses concurrents. Il en est de même en ce qui concerne patrons et employeurs; leur autorité et leur renommée ne sont pas contestées.

Pour un médecin, il serait question d'un «patron», celui qui est au-dessus des autres, parvenu au faîte de sa profession, et ce non pas par recommandation ou en raison de l'âge, mais par son mérite et ses connaissances.

S'il est question de la mère du consultant ou du père de la consultante, ce qui vient d'être exposé leur est applicable.

En Maison XI: Le consultant peut compter sur des protections et des amis bien placés qui ont des pouvoirs et des postes élevés dans la société.

Ils peuvent répondre à ses appels et lui apporter le succès grâce à leurs relations.

Il n'y a donc pas lieu actuellement de négliger les recommandations souvent utiles pour réaliser ses buts.

Avec cette figure, les projets et les espoirs sont en bonne voie de réalisation. Ils seront constructifs et concrétiseront bien la pensée qui les a animés.

Des réunions sont proposées au consultant; qu'il y assiste, car elles seront enrichissantes pour lui; c'est une démarche à ne pas négliger.

S'il s'agit d'un examinateur, il sera intègre et ne jugera pas sur les apparences ou avec parti pris, mais sur le fond de vérité.

En Maison XII: Le symbolisme d'évolution par acquisition et réceptivité de cette figure ne peut pas être agréable dans cette Maison des épreuves. Elle ne peut qu'aggraver, qu'enrichir, que concrétiser matériellement celles-ci.

Il faut donc se préparer à une recrudescence d'ennuis. Ils ne dureront pas plus que les périodes de calme.

Si on ne peut pas les éviter, on peut les vivre le mieux possible, et faire en sorte de comprendre qu'il y aura quelque chose de bon à en tirer.

Les épreuves, les obstacles sont nécessaires pour apprendre à avancer grâce aux efforts à faire pour les surmonter et pour en sortir.

C'est ce que *Caput*, excellente figure, apporte et permet.

Cette description concerne aussi bien l'état de santé, les maladies que les difficultés d'une entreprise ou d'une affaire quelconque.

Il faut penser que tout s'arrangera pour le mieux, mais qu'il y a un prix à payer!

Carcer

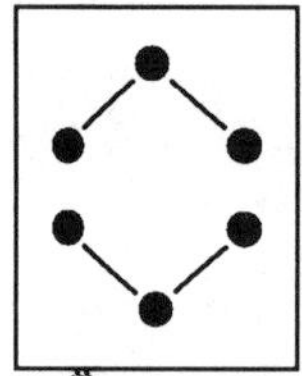

Figure: Eau, commune, sortante.

Symbolisme: Stérilité. Espace clos. Prison. Aucune ouverture vers l'extérieur. Le destin opposé à tout changement.

En Maison I: Cette figure montre une nature fermée à tout ce qui vient de l'extérieur. Ce renfermé est un introverti, à tendance égoïste. Rien ne sort de lui, pas davantage les communications que son argent.

Ses sentiments, ses réflexions, il les garde pour lui. Il médite, il réfléchit et n'agit pas à la légère.

Ses actes comme ses investissements sont mûrement réfléchis. Il est économe et entasse tout. Il «rumine» et ne se dévoile pas. En ce moment, il n'a pas la possibilité de voir grand.

Il œuvre en silence, sérieusement, avec minutie; il aime le travail bien fait et il réalise avec méthode et dans l'ordre.

Sa timidité le rend secret, indépendant; son manque de distractions extérieures le rend triste.

Sa satisfaction est entièrement dans sa vie intérieure; cela pourrait compenser son manque d'ouverture d'esprit et le rendre plus sympathique.

En Maison II: Il y a dans cette figure et dans cette Maison un signe d'avarice. On limite les dépenses au strict nécessaire. Aucune dépense inutile qui ne se justifie pas par un besoin. Les dépenses sont faites à bon escient après avoir bien jugé le pour et le contre; ce qui fait qu'il ne se trompe pas beaucoup.

Cette situation entraîne sans doute également une limitation des gains.

Cet état de choses ne durera pas indéfiniment; mais en attendant, il faut se plier aux circonstances et savoir supporter certaines restrictions.

En Maison III: L'entourage est restreint. Comme il y a peu de communication avec autrui, l'incompréhension peut amener la discorde et les rapports difficiles.

Des obstacles peuvent survenir dans une démarche, un déplacement; un arrêt dans un voyage peut également se produire.

Des difficultés à rejoindre quelqu'un sont aussi possibles.

Actuellement, il y a une limitation dans les déplacements en raison de certaines difficultés dans les moyens de transport.

Les facultés intellectuelles ne sont pas polyvalentes, d'où obligation de limiter les études au domaine des sciences abstraites si l'on veut réussir.

L'intéressé a donc tendance à diriger ses lectures ou ses écrits dans cette direction.

Si l'on est en attente de nouvelles, ne pas s'étonner si elles tardent à arriver, car elles risquent d'être bloquées.

Le moment n'est pas propice aux entreprises commerciales ou de communications. Éviter les créations dans ces domaines.

En Maison IV: Le manque d'ouverture dans le foyer implique le respect des traditions. Cela donne une ambiance austère et froide, dans laquelle il y a peu de communications entre les membres de la famille.

La demeure elle-même paraît isolée, pas forcément géographiquement, mais par absence de contacts avec l'extérieur.

Tout cela n'est pas fait pour rendre cette maison agréable, gaie et chaleureuse.

On peut l'imaginer entourée d'un mur ou d'une épaisse haie, bien chez soi à l'abri des curieux; la proximité de l'eau compléterait cette image.

En ce qui concerne le patrimoine familial, il tourne sur lui-même, ne se développe pas et risque, au contraire, de se «comprimer».

Le but poursuivi comme la fin d'une chose sont stoppés, aucune décision n'est possible actuellement; et si l'on devait «quitter cette terre», le départ serait retardé!

En Maison V: Si on a fait des promesses de fiançailles ou de mariage, on ne peut pas y échapper; d'où possibilité d'amours contrariées et limitées.

Les plaisirs, les joies de la vie sont limités (examiner les autres Maisons pour en connaître les raisons).

Amour en péril, égoïsme en cause. La solitude est pénible.

La coiffure, l'aspect vestimentaire, le décorum sont figés. C'est la routine dans beaucoup de choses.

En ce qui concerne les enfants, leur nombre est limité, volontairement ou non. Stérilité? (D'autres observations donneront des précisions.) Ces enfants risquent de manquer de liberté, ce qui nuirait à leur épanouissement (éducation trop rigide, pensionnat, etc.).

Si l'enseignement est en question, celui-ci est très précis, secret, occulte, initiatique; l'école elle-même n'est pas accessible à tous. Milieu fermé.

Les investissements sont bloqués: pas de réalisation actuellement, manque de liquidités. Arrêt des spéculations.

En Maison VI: L'activité professionnelle est ralentie; aucun développement n'est en vue. Ce n'est pas le chômage, mais il y a un ralentissement.

Le changement de situation est impossible et c'est le moment de tenir davantage à son emploi.

Le travail est probablement fatigant, astreignant et ne permet aucune évolution.

C'est la routine qu'il faut supporter sans espoir de promotion actuellement. Toutes les portes sont fermées dans la profession, on ne peut pas en sortir. «Patience est donc mère de sûreté» et «un bon tiens vaut mieux que deux tu l'auras».

S'il s'agit d'une entreprise, c'est le marasme, la paralysie, le ralentissement de toute activité nouvelle, ce qui amène à l'idée de concentration.

Les économies, la réduction du personnel et des investissements s'imposent si l'on veut survivre. L'embauche est obligatoirement stoppée.

Si le lieu de travail est en cause, il se révèle fermé à l'extérieur. Celui-ci peut être un milieu hospitalier, carcéral, situé dans une région isolée, peut-être en relation avec l'eau.

Si la question concerne l'état de santé, celui-ci est stable, et la maladie non évolutive; elle stagne.

En Maison VII: Si le conjoint est en cause, son caractère actuel ressemble aux définitions développées en Maison I. Il n'a pas la liberté de s'exprimer, il est peut-être freiné par le questionneur, par son métier, par la maladie? Il faut en rechercher la cause dans l'examen des autres Maisons.

S'il y a des associés en cause, ils sont «pieds et poings liés», sans aucune liberté d'exprimer leurs opinions ni d'agir comme ils le voudraient. Ils sont là pour la «frime»; peut-être même sont-ils incapables?

Dans une question concernant un litige, une querelle ou un procès, rien n'avance: c'est l'immobilisme. Aucun dénouement d'une affaire n'est en vue; l'accès aux dossiers est interdit. Aucune explication, ni discussion n'est possible, c'est le mutisme.

En cas de mariage ou de tout contrat d'association, la signature est reportée *sine die*.

La mise à disposition des biens acquis est impossible, il y a obstruction et empêchement.

Pour les affaires en général, il ne faut pas s'attendre à une expansion quelconque. Quant aux engagements, il est impossible de s'en affranchir.

En Maison VIII: Si on a un héritage en perspective, on peut penser qu'il est bloqué.

Les actions, les biens d'une association ne sont pas réalisables, ou alors ils sont très petits, si petits... comprimés à l'excès par suite de la disparition de l'affaire.

Toute transformation, toute mutation d'envergure est remise en question. Le destin s'oppose à tout grand changement ou bouleversement dans l'immédiat.

La capacité de se tirer d'affaire par chambardement est exclue.

La perception des pensions ou des retraites est compromise et il faut s'attendre peut-être plus qu'à un simple retard: suppression, diminution ou compression.

Quant aux maladies de longue durée ou graves, elles n'évoluent pas. L'état de santé est stagnant. Le *statu quo* amène le consultant à la claustrophobie, ce qui n'arrange pas sa froideur.

En Maison IX: L'immobilisme influence beaucoup l'enrichissement intellectuel et psychologique.

Il s'ensuit un manque d'ouverture d'esprit qui fait obstacle à la communication et à la compréhension de beaucoup de choses.

On se renferme dans ses idées, on n'explore pas les choses de la vie, on n'en jouit pas.

Puis, on pense, on agit sans se soucier des conséquences, on se limite dans un rôle social, dans les initiatives, et le souci pour les autres s'affaiblit.

L'enseignement, s'il en est question, est sectaire, secret et le Maître est inaccessible.

L'école est à tendance ésotérique, discrète et il n'est pas facile d'y entrer.

Les contacts avec le monde étranger sont bouchés et ne peuvent pas apporter un intérêt quelconque. L'apprentissage des langues étrangères est plutôt négatif et il vaut mieux s'abstenir. C'est également le cas pour effectuer un long voyage, qu'il est préférable de remettre à plus tard.

En Maison X: C'est l'indice d'une situation modeste. L'élévation sociale est compromise; les honneurs et le niveau de vie sont limités. S'il y a célébrité, elle est sans profit.

Des obstacles s'élèvent contre une promotion sociale ou professionnelle.

Il y a des contraintes, un manque de liberté d'expression ou d'action dans la profession. Les ambitions sont limitées, ainsi que le crédit.

Patrons et employeurs manquent de largeur de vues, ils se concentrent négativement sur leur fonction.

S'il y a un service ou un domaine visé, les directeurs sont en nombre insuffisant; exemple pour un hôpital:

insuffisance de médecins (dont cette Maison est le domicile). Et si l'on veut connaître la valeur d'un médecin, *Carcer* le désigne comme étant incapable de prendre une décision, l'esprit fermé aux initiatives; son excès de prudence le rend stérile.

Ce qui est exprimé ici peut concerner la mère du consultant ou le père de la consultante si la question a été posée dans ce sens.

En Maison XI: Nous voyons des obstacles dans les amitiés, les appuis et les recommandations qui risquent de ne pas aboutir.

Le nombre d'amis et autres relations est limité; cela est préférable, car l'aide que le consultant peut en espérer est mince. Il ne peut pas leur faire confiance; c'est un indice d'isolement pour le questionneur.

Les contacts dans les réunions sont très limités.

Les projets n'ont pas tendance à se réaliser actuellement, et beaucoup d'idées et d'espoirs sont remis en question.

Il n'est pas indiqué d'entreprendre de nouvelles démarches pour chercher de l'aide, elles auraient peu de chances d'être bien reçues.

Un examinateur est représenté dans cette Maison et dans le cas symbolique de *Carcer*, il n'est pas facile, il est obtus et fermé à toute considération.

En Maison XII: En adaptant le symbolisme de *Carcer* à cette Maison comme il est logique de le faire, et comme il a été fait pour les autres Maisons, on constate que cette figure n'est pas négative ici.

Sa stérilité, son manque d'ouverture et d'expansion montrent une non-prolifération des épreuves. C'est leur limitation en nombre et en gravité. C'est une excellente réponse aux anxiétés provoquées par cette Maison.

Les interventions extérieures sont impossibles pour résoudre les problèmes qui restent bloqués.

Si ce n'est pas leur disparition, c'est le *statu quo*.

La non-aggravation des ennuis actuels est déjà une consolation apportée par cette figure au questionneur.

Cette situation d'attente engendrera la réflexion, l'incrédulité, apprendra la patience.

On sera fermé aux illusions, aux inhibitions.

C'est le côté positif de la situation de cette figure en Maison XII.

Cauda Draconis

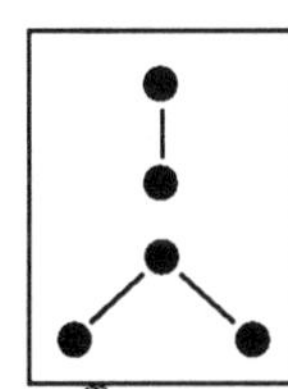

Figure: Feu, mobile, sortante.

Symbolisme: Tout ce qui s'enfonce dans la matière. Tout ce qui s'enlise. Tout caractère de diminution. Action dissolvante. Régression.

En Maison I: Le questionneur est en perte d'énergies psychiques. Il a tendance à perdre confiance en lui, à broyer du noir, et à ne retenir que ce qui est matériel dans la vie de tous les jours.

C'est la dépression, la rupture d'équilibre entre le haut et le bas. Il s'enlise dans la matière avec tous les risques des actions dissolvantes, génératrices de discordes et de scissions.

En Maison II: Très mauvaise «période pour tout ce qui a rapport aux gains, qu'ils soient en argent ou autres. Tout ce qui rentre, tout ce qu'on peut recevoir est dangereusement perturbé: les valeurs auxquelles le questionneur attache le plus de prix, les profits du travail, les intérêts des choses placées, les récoltes, etc.

L'ambiance est à la descente, à la chute, à la dépression, à l'anéantissement, particulièrement dans le domaine de la finance, de la bourse.

La rentabilité des biens immobiliers, des entreprises financières, des parts associatives, actions, obligations, titres, rémunérations de toute sorte diminue, régresse.

On peut perdre de l'argent pour différentes raisons: dépenses inattendues, amendes, procès, indemnités, vol, incendie, marchandises défectueuses, destruction de biens, etc.

Attention aux tractations néfastes, à la tromperie (voir des précisions dans l'étude des autres Maisons).

En Maison III: Se méfier, car l'entourage peut être corrompu et dangereux. Les relations, les contacts, les rencontres sont à surveiller.

Les petits voyages, les déplacements sont dangereux; attention à l'état matériel et à l'usage des moyens de transport; se renseigner sur l'état des routes.

Les facultés intellectuelles sont à la baisse, ainsi que le goût pour les études. Le niveau intellectuel des élèves est assez bas; l'enseignement éducatif est délaissé.

Les écrits, les publications et tous les textes qui peuvent tomber sous les yeux ont un caractère négatif, dissolvant.

Les gens dont la profession consiste à publier des textes produiront un travail médiocre qui risque de leur être refusé.

Mauvais fonctionnement du courrier et des moyens de communication par accident ou grève.

Baisse des activités dans les entreprises de communication.

En Maison IV: Nous sommes en face d'une résidence malsaine, dans un climat pernicieux qui n'a d'égal que celui de la famille.

Il y a refus de spiritualité et attachement exagéré aux biens matériels de la famille, en particulier.

La maison résidentielle aurait besoin de rénovations, car son état ne paraît pas satisfaisant, et elle commence à se délabrer.

Le patrimoine immobilier a besoin d'être mieux entretenu, car sa valeur marchande baisse, le mauvais entretien peut être la source de pertes d'argent.

Un secret de famille peut être jalousement gardé.

Cette figure présage ici la fin de quelque chose, peut-être celle d'un membre de la famille (voir Maison VIII).

L'ambiance familiale est actuellement dépressive, dissolvante, inhibitrice et sans joie.

L'activité familiale est ralentie, on s'endort par manque d'initiative; c'est la sclérose.

En Maison V: Il pourrait s'agir d'enfant illégitime si la question est posée; également de désintéressement, d'abandon, de perte, de fugue.

Le comportement privé est beaucoup axé sur les loisirs et les plaisirs malsains, avec une sensualité probablement effrénée et peut-être perverse.

Possibilité d'adultère, la tromperie sentimentale est dans l'air.

Attention aux mauvais conseils, à la jalousie.

Une tendance autodestructrice sentimentale est sous-jacente.

Mauvais choix, mauvais goût pour ce qui entoure le consultant: vêtements, mobilier, bijoux, décor, etc. Mauvais choix des lieux de détente, de repos, de vacances et d'amour.

S'il est question d'enseignement, il est inadéquat, par conséquent inadapté au but poursuivi; il peut être même négatif. L'école en tant que lieu et résidence n'est pas conforme et ne convient pas pour l'usage qui en est fait et pour son but.

En ce qui concerne les opérations financières, placements et toute combinaison, c'est l'enlisement, le gel, même l'effondrement.

Rareté des produits de la terre.

En Maison VI: Il sera difficile de s'affranchir d'un travail malsain, soit physique, soit psychique, soit fatigant. Il peut être abrutissant, dégradant, destructeur, exécuté dans l'injustice. Il peut également être illicite, pervers (prostitution, drogues, trafic illégal quelconque). De toute façon, il est instable.

Les études professionnelles sont négligées, le travailleur n'a plus confiance dans ce qu'il fait et s'en désintéresse d'autant plus que les promotions se raréfient.

En ce qui concerne des serviteurs ou des salariés du consultant, ou ceux d'une entreprise, ils ne sont pas efficaces, c'est le moins qu'on en puisse dire.

S'il est question d'un problème de santé, on peut penser aux maladies infectieuses, sexuelles, pernicieuses, transmises par contacts matériels, évoluant physiquement. Aucune cause psychique.

Un personnel soignant n'a aucun intérêt pour ce qu'il fait; le matériel hospitalier inadapté ou usagé; soins, confort, propreté douteux dans les lieux où vit le malade.

S'il est question du traitement ou des remèdes; c'est négatif.

En Maison VII: Ne pas faire trop confiance au conjoint ou aux associés s'il y en a.

Tromperie possible. Fuites de secrets, de procédés de fabrication ou de dossiers; espionnage; collaborateurs, défenseurs à double jeu.

Tromperie en matière de procédure.

Abandon de la défense ou, ce qui est pire, désintéressement.

Rupture d'engagement: mariage, séparation ou divorce.

Perte de la foi conjugale, d'où risque d'infidélité.

Refus d'exécuter une vente ou un achat de biens ou de poursuivre une transaction.

En Maison VIII: Perte d'intérêt pour procéder à un changement important dans l'existence d'une personne ou d'une affaire. Manque d'énergies pour cela.

On reste sur ses positions; qui plus est, on s'enfonce dans le quotidien. On accepte de plus ou moins bon cœur le *statu quo*, à cause d'un désir de changement.

Un renouveau n'est pas à l'ordre du jour; peut-être n'est-il pas nécessaire.

Le moment n'est pas favorable pour se tirer d'un mauvais pas par des moyens extrêmes, parce que la confiance dans les résultats n'y est pas.

S'il y a des biens successoraux, matrimoniaux ou ceux d'une association à réaliser, à liquider, des moyens trompeurs peuvent être employés à cet effet; ils peuvent être dépréciés, dilapidés.

Cela peut arriver dans la réalisation des biens du conjoint.

Il y a un risque de fraude, de malversation dans les règlements des droits de pension ou de retraite.

En cas de maladies graves, il y a perte d'énergies et de confiance dans la guérison; ce dernier point n'étant d'ailleurs pas nécessairement vrai.

En Maison IX: Un esprit rusé aurait le goût de pervertir autrui, par manque d'équilibre mental.

La vie spirituelle fait nettement défaut, et les aspirations sont plutôt dirigées vers le bas matériel.

Les ennuis, les soucis, les influences néfastes naissent et s'amplifient; le désarroi moral et la crainte s'installent.

S'il est question d'un enseignement moraliste ou spirituel, il serait négatif, involutif, régressif.

Les grands voyages sont décevants, n'apportent aucun intérêt. Ils sont fatigants et entraînent une perte d'énergies.

Les contacts avec l'étranger ou les étrangers sont dénués d'apports quelconques; ils seraient plutôt dangereux.

Une œuvre publiée à l'étranger n'aurait aucun succès.

Un déplacement pour faire des recherches ou des études serait voué à l'échec.

En Maison X: Réputation déplorable. Scandale possible atteignant la situation sociale. Perte de prestige.

Effondrement de la carrière. Diminution des pouvoirs, des honneurs, ainsi que des avantages liés à la position sociale. Diminution du niveau de vie.

Corruption dans les milieux élevés. Échec des ambitions.

Abandon des buts à atteindre.

La réussite sociale est mise en échec, les grandes réalisations prévues également.

La destinée d'une entreprise est en perdition.

Patrons, employeurs sont sur le point de perdre leur situation.

Ne plus compter sur le crédit qu'on avait.

S'il s'agit d'un médecin ou d'un pharmacien, ils peuvent s'adonner à des activités illicites.

Ce qui précède est l'image de la mère du questionneur ou du père de la consultante.

S'il est question de maturité, celle-ci est déviée dans le mauvais sens.

En Maison XI: Ne pas compter sur les amis, les protecteurs, les recommandations qui se déroberont.

Les relations amicales actuelles se détériorent, des trahisons sont possibles.

Certains appuis peuvent cacher la perversité.

Les promesses risquent de ne pas être tenues.

Les commanditaires tournent le dos, les secours sont remis en question.

Les réunions projetées tournent au scandale. Une démarche peut être mal interprétée et nuire à l'auteur.

Les projets perdent leur attrait: on s'en désintéresse, ils s'effondrent et sont abandonnés.

La chose souhaitée ou demandée ne se réalise pas, ou si elle est accomplie, elle le sera dans de très mauvaises conditions et nuira d'une façon ou d'une autre à son auteur.

S'il s'agit d'un examinateur, il risque d'être corrompu.

En Maison XII: Étant donné le symbolisme de cette figure dans cette Maison, on peut s'attendre à ce que les ennuis, les obstacles et tout ce qui est négatif concernent davantage le matériel, le physique plutôt que directement le moral ou le psychisme.

Dans l'état de santé, il faut s'attendre à des pertes d'énergies qui pourront engendrer des limitations d'activités, à des déplacements sources de dépressions.

Des ralentissements fonctionnels sérieux sont susceptibles de conduire, par manque d'assimilation, à une perte de forces; puis, par manque d'élimination, à l'apparition d'une intoxication, à des rhumatismes, par manque d'activité, à une atrophie des muscles.

Un examen pourra être faussé.

La police, les secours peuvent intervenir rapidement mais avec des moyens insuffisants.

Les gens qui veulent du mal sont des fourbes, des gens pervers, quelquefois de faux amis qui préparent des guet-apens, ou encore des débauchés ignorés.

Possibilité d'effacer un échec.

Conjunctio

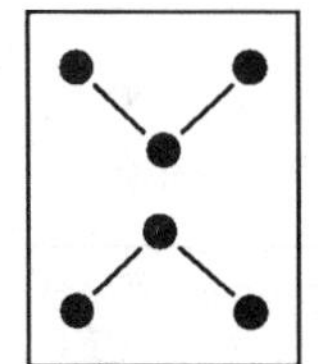

Figure: Air, commune, entrante.

Symbolisme: Union entre deux forces opposées et complémentaires, dans le but de création. Fécondité. Pont entre le haut et le bas.

En Maison I: Le questionneur est une personne pratique qui sait joindre l'utile à l'agréable. Il est doué pour réunir les complémentaires aux fins de création. Ses idées comme ses réalisations sont donc fructueuses, ses projets sont sensés et réalisables.

Il a des aptitudes équilibrées psychiquement, moralement et physiquement, avec le souci des détails.

Il est intelligent, persévérant, réalisateur; c'est l'autodidacte par excellence, avec cependant l'esprit de contradiction.

En Maison II: Les gains sont souvent le résultat de la rencontre, de la fusion de deux éléments différents mais complémentaires. Ils peuvent provenir d'une entente, d'une création; c'est le produit de la réunion de deux activités, d'un mélange adroit, judicieux de deux forces quelquefois antagonistes.

L'intelligence, la persévérance sont pour beaucoup dans les gains par associations et collaborations.

En Maison III: Contacts nombreux et intelligents avec l'entourage, d'où peuvent sortir de bonnes idées constructives.

Contacts et rencontres sont à prévoir, au cours desquels jaillira quelque chose de positif.

Les visites, les petits déplacements sont très favorables et fructueux. Le mouvement est créatif et enrichissant.

Les études pourraient être avantageusement mixtes et comporter autant d'enseignement intellectuel que de cours pratiques; cela sans négliger la communication, les échanges d'élèves.

L'assimilation des connaissances est très bonne.

La collaboration entre écoles est à conseiller et les rencontres seraient positives; également à cause des liens que tisseraient les élèves entre eux.

S'il est question d'écrits, de publications, c'est dans les domaines des communications, des échanges, de la créativité qu'ils ont davantage de chances d'être appréciés. Les moyens d'expression actuels sont ceux qui rassemblent les gens: théâtre, concert, match, télévision; ce sont eux qui font le succès des entreprises organisatrices.

En Maison IV: Dans la famille, la communication est bonne, le foyer est actif, on y reçoit, il s'y fait des échanges, des rencontres. On évoque le passé et l'avenir, ce qui anime les relations présentes.

On pense à rénover la résidence, à l'agrandir, à faciliter le passage de la lumière et des gens.

Il est possible qu'il soit question d'un échange ou d'une transformation importante dans le mode de vie familiale.

On pense aussi à réunir certains biens familiaux, à unifier, à concentrer des biens disparates, éparpillés;

cela pour un meilleur rendement et pour en simplifier la gestion.

On peut prévoir la réalisation du but poursuivi par des accords sur le point d'intervenir.

S'il s'agit d'une affaire, il sera question de collaboration ou même de fusion en vue de créer une nouvelle activité.

C'est sous cette forme qu'une société peut disparaître et finir; ce serait le cas pour une affaire en difficulté financière.

En Maison V: L'ambiance est à la bonne entente entre les enfants, qui développent des liens fraternels par de fréquentes rencontres.

Le consultant éprouve le besoin de contacts, de liens plus intellectuels qu'affectifs, grâce auxquels des créations sont susceptibles de se développer.

Si le questionneur est joueur, la chance peut très bien lui sourire en ce moment.

C'est maintenant qu'il doit joindre l'utile à l'agréable et trouver les satisfactions qui lui manquent.

Il a l'amour des activités de l'esprit, de la lecture, de l'étude.

Si l'enseignement est en question, il sera assimilable, très communicatif, apprécié et productif.

Les élèves sont attentifs, compréhensifs, générateurs d'idées nouvelles.

Les spéculations et les opérations financières sont favorisées par des échanges créateurs de profits.

Un équilibre écologique donnera une abondante récolte.

En Maison VI: Occupation professionnelle productive d'emploi; particulièrement dans les moyens de communication, comme: le son, les messages, les écrits, le courrier, le téléphone, le télécopieur, la radio, la télévision, les contacts, etc.

Travail en collaboration, en association.

Disposition favorable pour la réalisation des contrats de travail.

Occupation dans le rapprochement des autres: arbitres, conseillers, psychologues, curés, tous ceux qui œuvrent au service des autres.

Faculté d'adaptation. En ce moment possibilité d'un engagement pour un nouveau travail.

Côté santé, c'est l'instabilité, une perturbation serait utile pour trouver l'équilibre.

Transfert du lieu où l'on est soigné dans un autre endroit.

Efficacité des remèdes et des traitements.

S'il est question de serviteurs ou de salariés, un reclassement, une redistribution des tâches et des compétences s'imposent.

En Maison VII: Retrouvailles, réconciliation, soit avec le conjoint, soit avec des associés pour des intérêts communs.

Reprise des pourparlers pour résoudre une affaire.

Contact scellant une association, une décision, un accord ou la conclusion d'un litige.

Le compte rendu d'un jugement, d'un procès est en route.

Aboutissement d'une solution, d'une affaire.

Mariage en vue.

Fidélité assurée.

Réalisation d'un contrat de vente ou d'achat.

Tractation efficace.

En Maison VIII: Un véritable chambardement, une très grande transformation de l'existence est possible et désirée; s'y préparer.

Un passage entre le passé et l'avenir est à vivre, une résurrection est en cours, elle aidera à résoudre bien des problèmes.

Cette mutation est censée rapprocher des points de vue ou des êtres différents.

Possibilité d'un mariage avec un veuf ou une veuve.

S'il y a des biens successoraux, il est question de les rassembler pour les liquider.

Remise en ordre des titres de pension et de retraite.

Sérénité face à la mort.

En Maison IX: Confrontation des idées en vue de créer une chose nouvelle.

Activité dans un rôle social pour aider et convaincre.

Rassemblement de moyens d'argumentation propres à rayonner sur autrui: spirituellement, psychiquement, moralement.

Évolution spirituelle par contacts, fusion de différentes idées ou philosophies.

Rapprochement des points de vue, occasion favorable.

L'enseignement spirituel passe bien et fortifie la foi et l'épanouissement de l'être.

Le moment est propice pour consulter efficacement les écrits concernant la vie de l'esprit et, pour les imprimeurs, de les éditer.

Les professeurs ont d'excellents contacts avec les élèves et réciproquement.

Ceux qui étudient les langues étrangères sont favorisés par une très bonne assimilation, non seulement du langage, mais des us et coutumes s'y rapportant.

Si l'on voyage à l'étranger, des contacts et des rencontres enrichissants sont possibles.

En Maison X: Développement des relations sociales particulièrement par des associations, des réunions d'intérêts professionnels.

Augmentation du crédit, grâce à une réussite sociale étincelante, brillante.

Le train de vie suit l'évolution du succès professionnel.

La renommée, l'efficacité des directeurs et des employeurs rayonnent autour de leurs activités.

En ce qui concerne les compagnies, il s'amorce un regroupement favorable; ce même courant englobe des professions qui nouent des contacts et qui fusionnent avec efficacité.

Actuellement, le meilleur moyen pour atteindre son but est d'établir des contacts, qui entraîneront des associations, des fusions.

S'il est question d'un médecin ou d'un pharmacien, on peut dire qu'ils sont efficaces, et qu'ils savent marier les contraires avec brio.

La figure qui se trouve dans cette Maison symbolise la mère du questionneur ou le père de la consultante; ce sont des gens qui savent vivre; ils sont efficaces et productifs.

En Maison XI: De fréquentes réunions entre amis sont favorables et conseillées.

Ces rencontres provoquent de bons contacts, bénéfiques, de façon immédiate. Il peut en résulter des projets de création d'entreprises, de voyages ou de déplacements lucratifs, ou bien la prise de décision d'écrire, d'apprendre, de s'instruire au contact des autres.

Tisser des liens entre amis ou avec des gens

sympathiques est actuellement très favorable pour trouver des appuis et des recommandations, toujours utiles dans la vie.

Les projets qui peuvent être à l'étude ont de bonnes chances de se réaliser. Le moment est favorable pour en faire de nouveaux.

Si une démarche est prévue, ne pas hésiter à la faire, car c'est le moment où elle sera bien accueillie.

On peut avoir confiance dans le résultat positif d'une promesse ou d'une espérance.

En Maison XII: Symboliquement, des épreuves se combinent pour engendrer quelque chose, un état nouveau satisfaisant.

C'est un passage à vivre; il n'est que temporaire et non contraignant.

On assiste donc à une mutation, à une transformation résultant d'épreuves; à travers elles, on aboutira à une réalité différente et très positive.

La réunion, la fusion des contraires crée un courant énergétique (le courant électrique n'est possible que par la réunion du positif et du négatif).

Un séjour à l'hôpital en compagnie d'un voisin de chambre peut être l'occasion d'un événement important.

Une panne d'auto peut être la cause d'une rencontre utile.

Une incapacité de travail peut amener un changement favorable de carrière.

Une perte d'argent apportera un enseignement qu'on n'aurait pas eu sans elle; elle provoquera une remise en question des gains. Mais tout cela n'est pas forcément négatif.

Fortuna Major

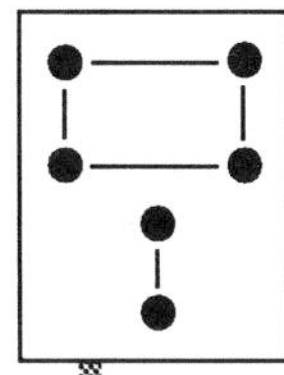

Figure: Terre, fixe, entrante.

Symbolisme: La coupe debout. Le succès. La fortune. Elle peut être pleine ou vide selon ses aspects.

En Maison I: Le consultant est un être équilibré, aux sentiments élevés; il est stable dans ses sentiments comme dans ses pensées.

Il s'épanouit mentalement dans la réussite.

C'est une personne chanceuse qui sait jouir de ce que la vie lui apporte.

Le bien-être matériel est à sa porte, à sa portée parce qu'il le mérite.

On n'a que ce que l'on sème et il récolte les fruits de ses actions passées. Il est «bien dans sa peau» et il l'apprécie.

Il sait discipliner ses besoins et il a beaucoup de bon sens.

Il a de nombreuses connaissances dans le domaine du savoir et il a le sens pratique, l'esprit de synthèse et aussi le sens des affaires.

En Maison II: Les gains lui sourient sous toutes les formes, les efforts qu'il déploie sont lucratifs. Il réussit des gains avec aisance.

Tout ce qu'il entreprend est productif au point de vue des avantages.

Quelquefois, les résultats sont supérieurs aux espoirs.

S'il est question d'une entreprise, les rentrées d'argent, les profits sont importants. La réalisation des immobilisations s'effectue sans difficultés.

Les actions, les parts associatives prennent de la valeur.

Les rémunérations pour les services ou les travaux sont excellentes. La richesse s'accroît.

Les métaux précieux prennent de la valeur.

Un voyage éventuel sera profitable et lucratif.

La fortune acquise est stable et ne court aucun risque.

En Maison III: Il est bon d'avoir des relations en ce moment, car elles se révéleront utiles et on pourra rencontrer des gens influents.

Des démarches peuvent être entreprises avec de véritables chances de succès.

La bonne entente avec l'entourage, les frères et sœurs, ainsi qu'avec les collègues s'améliore. Des rencontres s'amorcent pour le plus grand bien du consultant.

Les entreprises de moyens de transport et de communication se développent favorablement; le moment est propice à la création de nouvelles affaires dans ces domaines.

En cette période, les études doivent être brillantes et les élèves peuvent réussir leurs examens.

Les livres se vendent bien et sont rapidement réédités. Les éditeurs réalisent des performances.

Les moyens d'expression comme les images imprimées ou transmises, la parole, les arts sont à l'honneur et en pleine expansion. C'est le moment d'en profiter.

En Maison IV: Bonheur familial, entente parfaite et joyeuse au foyer.

La résidence est cossue; rien n'y manque pour inspirer l'opulence, le calme, la joie d'y vivre. Il y règne un climat d'aise, de confort et de loyauté dans une absence d'inquiétude.

Le patrimoine immobilier familial est à l'abri des vicissitudes financières; il est bien administré et prend de la valeur.

Si on doit voyager, on choisira de s'arrêter dans des endroits agréables et confortables; c'est dans l'esprit du consultant.

Il n'y a pas à s'inquiéter pour les buts poursuivis par le questionneur, car leur réalisation se fera au mieux de ses souhaits.

S'il s'agit d'une entreprise, il est possible que ce soit sa fin. Mais elle se fera dans d'excellentes conditions, comme tout ce qui doit prendre fin dans la vie du consultant.

En Maison V: Du côté des enfants, c'est une entière satisfaction pour les parents, car ils réussissent dans leurs études comme dans la préparation de leur vie. L'ambiance familiale est un stimulus qui les pousse vers le succès.

Dans sa vie privée, le consultant est disposé à jouir sainement des plaisirs qu'il sait se procurer.

Il n'aime pas rester dans l'ombre et avec un peu d'éclat et de générosité ostentatoires envers ceux qu'il côtoie, il évolue à son aise.

Cela lui procure du bonheur dans ses moments de détente.

Il sait profiter du bien-être matériel que lui procurent ses succès.

Les opérations financières, les spéculations de tous ordres ont des chances de réussir dans cet élan de succès.

S'il est question d'enseignement, école, professeurs et élèves réalisent des performances qui dépassent les espoirs.

Les lectures que l'on peut faire sont d'un niveau élevé et apportent énormément de bonnes idées.

Une œuvre en gestation mûrit et prend de l'intérêt et de la valeur.

En Maison VI: On s'épanouit dans le travail qui élève, qui développe les acquis et en génère de nouveaux. La réussite couronne les ambitions professionnelles qui sont comblées. C'est un peu grâce au bon sens et à la discipline observés, dans un lieu de travail bien adapté à ce qu'on fait.

Ne pas hésiter à passer un examen ou des tests professionnels, car l'ambiance est à la réussite et à une promotion.

Si la question concerne des serviteurs, des employés ou des salariés, ceux-ci sont satisfaits de leur sort et de leur bien-être matériel.

Si l'état de santé est concerné, cette figure apporte la stabilité, l'abondance d'énergies, et en cas de maladie, c'est l'espoir de guérison. Quant au personnel soignant, aux traitements, on peut leur faire confiance, et croire en leur efficacité.

En Maison VII: Le ou les partenaires dans une affaire sont des gens à succès, capables de fructueuses réalisations.

Ici règnent la discipline, le goût de l'éclat et beaucoup d'ambition; ce sont d'excellents atouts pour réussir.

Pour un mariage, c'est la réussite dans le bonheur; pour un couple, la fertilité, et la consolidation dans la foi conjugale, la fidélité.

Judiciairement, les procès, les litiges, les contestations trouvent une solution favorable.

Les luttes, les querelles s'apaisent.

Les bonnes relations interrompues reprennent dans la paix et la compréhension des protagonistes.

Les affaires en général jouissent d'une trésorerie à l'aise et de profits substantiels.

Les ventes et les achats réalisables se feront dans de bonnes conditions pour les intéressés et chacun y trouvera son compte.

En Maison VIII: Le moment est favorable pour faire «peau neuve», pour rénover ce qui ne va pas. Une réforme intégrale envisagée réussira.

Que cette mutation soit un changement de vie d'une personne ou une réorganisation totale d'une entreprise, le moment est propice pour le faire avec succès.

Liquider une mauvaise affaire et repartir sur de nouvelles bases serait valable et réussirait à présent.

C'est ainsi qu'il est possible de se tirer d'affaire dans de bonnes conditions actuellement.

Dans le cas où les biens d'une affaire seraient en difficulté leur réévaluation est possible.

Les biens matrimoniaux ou successoraux sont réalisables, ils peuvent être liquidés dans de bonnes conditions.

Il est possible actuellement de transformer avantageusement des titres de rentes ou des fonds de pensions.

Pour ce qui concerne les graves maladies, le malade a des chances de guérir, car la «coupe» est pleine de bonnes choses pour l'aider à s'en sortir.

En Maison IX: Esprit de synthèse dans une vue philosophique très élargie.

Disposition claire des mystères de la vie. Recherches occultes de haut niveau. Initiation désirée.

Besoin de donner aux autres, de partager les connaissances acquises, sur le plan matériel comme dans le domaine spirituel.

Tous les moyens propres à réaliser ces objectifs sont valables.

La création d'écoles, la formation d'enseignants, la sensibilisation du monde à se pencher sur ces questions sont d'actualité.

Il est fortement conseillé de susciter l'information dans le domaine de l'esprit par les écrits, la parole, enregistrée ou non, et tout moyen audio-visuel.

Tous les rapports avec l'étranger sont voués à la réussite. Dans tous les domaines qu'on abordera on trouvera des facilités de réalisation.

La connaissance des langues étrangères, ainsi que les longs voyages à l'étranger, tout cela est valable actuellement.

En Maison X: La réalisation du but de la vie sociale entraîne honneurs, prestige, situation stable et élevée.

C'est la réussite, le couronnement des efforts.

Le goût de l'éclat et l'ambition sont satisfaits. C'est le résultat d'une discipline, d'un certain conformisme de bon aloi et d'un bon sens inné.

On est bien considéré dans le milieu des affaires et on évolue dans un excellent mode de vie.

On inspire confiance et on a un très bon crédit. La profession est stable et en pleine expansion.

En ce qui concerne le patronat, les employeurs, ils ont l'estime de leurs subordonnés, une bonne représentativité, et aussi le sens des affaires.

S'il est question de la qualité d'un médecin ou d'un pharmacien, ce sont des conformistes, des traditionnalistes; les médecines douces, holistiques leur sont étrangères.

Dans cette Maison, *Fortuna Major* symbolise la mère du consultant ou le père de la consultante; tout ce qui s'y rapporte peut leur être appliqué.

En Maison XI: L'environnement amical est de haut niveau social. C'est le milieu des affaires qui prime, plus que la moralité. Cela colore les relations avec les amis et le genre d'aide et de secours qui peut leur être demandé.

On peut compter sur la stabilité, la durée de ces relations qui sont nombreuses.

Les réunions sont fastueuses, mondaines; on s'y épanouit dans des conversations fertiles en toutes choses pratiques.

Des projets s'élaborent pour développer des affaires, pour les rendre plus rémunératrices, plus concurrentielles aussi.

Si une démarche est entreprise, elle est prometteuse de succès.

Si des projets sont à l'étude, leur réalisation est en bonne voie, et les choses souhaitées sont à la veille d'être satisfaites.

Comme cette Maison représente l'examinateur dans un concours, il aura du bon sens, beaucoup de connaissances et pourra juger avec loyauté, compréhension et compétence.

En Maison XII: Relativement peu de véritables épreuves accablantes pour l'intéressé; il a tout ce qui est nécessaire pour les traverser facilement et sans grand dommage. Elles seraient même nombreuses qu'elles seraient douces à subir et apporteraient d'heureuses expériences.

Par exemple, si un accident ou une maladie contraignait à un séjour en milieu hospitalier, celui-ci serait pourvu d'un excellent confort avec un matériel sophistiqué, un personnel de choix, un hôtel de luxe plus qu'un vulgaire hôpital!

S'il se produisait une faillite toutes les facilités seraient données pour la résoudre au mieux.

Une perte d'argent se ferait pendant un certain temps, puis serait finalement compensée par autre chose d'une plus grande valeur.

Une diminution de quoi que ce soit ne serait pas désastreuse étant donné l'abondance des diverses ressources de l'intéressé.

En cas de maladie incurable, la réserve d'énergie est largement suffisante pour subvenir aux besoins vitaux. Une infirmité serait largement compensée par le développement d'un nouveau don.

Fortuna Minor

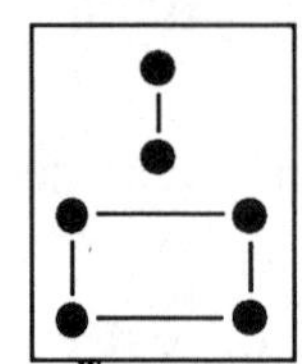

Figure: Feu, mobile, sortante.

Symbolisme: La coupe retournée, incapable de se remplir par elle-même.

En Maison I: C'est une personne mobile, instable dans ses pensées, ses idées et son comportement. Cet état est plutôt positif, son côté négatif réside dans son changement, son manque de persévérance.

Ce qui paraît contradictoire, c'est que cette constante remise en question devient une source d'enrichissement par le nombre d'expériences vécues.

Cela stimule l'ambition, le désir d'arriver coûte que coûte, et justifie un emballement sans lendemain.

C'est un bon exercice pour développer la mémoire et l'intelligence. Mais une telle attitude pourrait conduire à des humiliations et à des vexations.

S'il s'agit d'une entreprise, son fonctionnement est instable et connaît des hauts et des bas. Il faut reconsidérer constamment le travail pour le rendre rentable. À une période de largesse vont succéder des restrictions nécessaires.

En Maison II: Les gains en général sous toutes leurs formes et particulièrement en argent subissent de fortes variations.

Leur irrégularité nécessite de jongler avec les rentrées et les sorties. L'équilibre est impossible à trouver, ce qui entraîne un développement de l'initiative et du système «D» (la débrouillardise).

Des pertes d'argent sont à surveiller, ainsi que des dépenses inconsidérées, peut-être inéluctables ou inévitables.

L'instabilité des salaires comme des autres recettes est un objet de découragement.

Les fluctuations des valeurs monétaires et des titres bancaires incitent à la prudence, car, dans l'immédiat, les pertes sont plus prévisibles que les gains.

Les profits et les gains que l'on peut espérer d'un voyage ou d'une affaire dans laquelle on est engagé sont aléatoires.

Ne pas compter sur un remboursement rapide et facile de l'argent prêté.

En Maison III: Nombreuses relations avec le voisinage et les proches, relations plus flatteuses que profitables.

Les contacts, les rencontres se succèdent agréablement, mais ne sont d'aucune utilité pratique.

On remue beaucoup, on se déplace, mais sans succès réel; on fait du «vent».

Les études sont remises en question. On ne sait pas bien définir ce que l'on recherche.

Les élèves sont instables; les enseignants changent constamment, et ce n'est pas favorable à la renommée de l'école.

Les livres, les instruments nécessaires à l'enseignement doivent être renouvelés souvent, car ils ne sont jamais conformes aux exigences.

On ne peut pas compter sur le courrier ni sur les autres moyens de communication: transport, téléphone, etc. Des revendications salariales perturbent les services. L'instabilité s'installe dans la fonction publique.

En Maison IV: L'autorité fait défaut dans le foyer; l'équilibre est fragile, l'unité, le bonheur sont à «éclipse».

Cependant, il y a tout pour être heureux, mais les membres de la famille ne sont jamais satisfaits de leur sort. On veut toujours mieux et on change, on recommence à courir vers un bonheur qui échappe chaque fois qu'on croit l'avoir trouvé.

Les biens mobiliers familiaux ne sont jamais satisfaisants dans leur état comme dans leur gestion.

On modifie sans structurer, sans établir de plan, on vend, on achète, on fait de bonnes et de mauvaises affaires. Il arrive qu'on modifie le genre de gestion en vue d'un meilleur rendement, mais sans un véritable succès.

Si on s'arrête en voyage, les lieux ne seront jamais à la convenance de l'intéressé; il passera son temps de repos à chercher mieux.

Si une affaire ou une chose quelconque est en voie de disparition, cela se fera par soubresauts, humilité et modestie. Cette affaire peut s'appliquer à une entreprise, une carrière politique ou autre.

En Maison V: Les enfants donnent satisfaction, mais pas dans tous les domaines. Il ne faut pas s'attendre à une quelconque reconnaissance; on leur donne sans recevoir.

La vie du consultant passe par des périodes d'inhibition et de confiance en lui.

Une rencontre est prévisible; un amour passager. Ne pas se faire d'illusions.

Dans sa vie sentimentale, il a des emballements non durables, des liaisons sans lendemain; l'adultère est possible.

Les loisirs sont multiples dans des lieux bien différents.

Les vacances sont souvent remises en question, avec beaucoup d'hésitation sur leurs modalités.

Un grand choix vestimentaire est nécessaire pour satisfaire les besoins de changement de l'intéressé.

S'il est question d'un enseignement ou d'une école, il faut considérer son aspect évolutif, qui se répercutera dans le contenu des livres: ceux-ci devront suivre de nombreuses modifications et s'y adapter.

Attention aux spéculations financières. Les tendances actuelles sont aux fluctuations souvent inattendues. Les investissements ne peuvent pas être considérés comme sûrs et stables.

En Maison VI: Instabilité dans le travail actuel; on se fatigue vite de faire toujours la même chose; il s'ensuit une baisse d'intérêt pour ce que l'on fait.

Mais aussi une occasion peut se présenter; ne pas la laisser passer sans l'examiner.

Ce travailleur est un «touche-à-tout» qui acquiert de l'expérience dans la multiplicité de ses occupations professionnelles. Il ne va pas au fond de tout ce qu'il entreprend. C'est une façon de mieux apprécier et de comprendre les autres parce qu'il a approché et vu les difficultés qu'ils rencontrent dans leur travail.

Dans les conditions qui précèdent, l'intéressé va nécessairement changer souvent de lieu de travail et collectionner succès et échecs. Parfois, cette façon d'agir pourra être un excès de zèle.

Si le questionneur a des serviteurs ou des salariés, ceux-ci auront la «bougeotte». Le personnel sera instable, les bons et les moins bons se succéderont. Le problème sera de garder les bons éléments.

En ce qui concerne la santé, elle subit des solutions de récupération et de pertes d'énergies, et s'il y a maladie, elle suit le même rythme; c'est donc une fragilité de l'état de santé.

En Maison VII: On peut penser à un manque d'entente avec le partenaire ou avec les associés dans une affaire. Les avis sont partagés et entraînent des discussions, des différends entre les participants. Des crises d'autorité se font jour, des valeurs sont contestées.

L'intérêt du mariage est remis en cause dans une union aux liens «élastiques». La foi conjugale est éphémère, on hésite à prendre des responsabilités devant une situation mouvante.

Si on prend une décision, elle sera de peu de durée.

L'issue d'un procès ou d'un jugement judiciaire est incertaine.

Des contestations ou des querelles n'en finissent pas.

En ce qui concerne les affaires en général, les tractations, les ventes et achats de biens, la période est aux fluctuations. (Ce sont plus exactement les influences dans lesquelles baigne actuellement le consultant: celles ne concernant pas les autres.)

Les hausses de valeurs succèdent aux baisses. On ne peut donc manœuvrer qu'à «vue», en louvoyant au gré du vent. Cette situation demande du flair et de la prudence, qui ne manque pas à l'intéressé.

En Maison VIII: Un changement radical d'existence est possible à la suite d'un bonheur fragile causé par une perpétuelle remise en question des conditions de vie.

L'insatisfaction risque d'arriver à son comble avec la succession de stress vécus dans une suite de réussites éphémères.

On recherche une vie plus stable, quitte à s'humilier et à subir une diminution du train de vie.

Un héritage attendu serait rapidement épuisé, de même qu'un gain inattendu.

Les biens d'une faillite, ou d'une cessation d'activité d'une entreprise se répartiraient en dépit du bon sens, à l'insatisfaction des intéressés.

Les maladies graves subissent de telles variations qu'elles entraînent successivement espoir et désespoir.

Les pensions et retraites subissent de tels à-coups dans leur montant qu'on peut craindre leur disparition.

En Maison IX: Beaucoup de connaissances sont transmises à autrui sur le plan de l'esprit, et sont souvent mal utilisées par la suite.

L'exaltation pour l'étude de choses occultes est sans lendemain.

On est attiré par les entreprises, les mouvements sociaux sans y participer assidûment. Les «coups de main» qu'on donne aux autres sont sporadiques.

L'intérêt évolue entre l'ésotérisme et l'exotérisme, le doute dans la croyance religieuse s'installe.

La confiance dans l'enseignement spirituel comme celle qu'on met dans l'Instructeur ébranlée.

La raison d'être d'une école est remise en question.

On hésite à faire un long voyage, à prendre des contacts avec l'étranger ou un étranger.

La magistrature, les arbitres subissent des revers et désappointent les gens.

En Maison X: La carrière, la profession passe par des périodes d'incertitude, leur stabilité est menacée. On ne peut pas compter sur un train de vie durable, la situation et le crédit étant trop instables. Crédit aussi bien en ce qui a trait à la finance qu'à la confiance.

Les ambitions sont compromises, ainsi que l'espoir d'une expansion.

Les luttes pour réussir se succèdent et on doit se défendre pour garder ses acquis.

L'autorité et les titres des patrons sont contestés; c'est également le cas pour les juges et les dignitaires de l'Église.

On doute de la qualité et des connaissances de son médecin, de l'efficacité des remèdes et des traitements prescrits.

Ce qui caractérise en général l'apport de cette figure, c'est le manque de durée. C'est déplorable pour les bons côtés et encourageant pour les mauvais.

Cette Maison représentant la mère du questionneur et le père de la consultante, on peut analyser leur comportement par les qualités de *Fortuna Minor* qui sont les leurs.

En Maison XI: Il faut savoir que, pour l'intéressé, les amis sont versatiles. L'inconstance dans leurs relations est leur dominante.

Leur aide peut faire défaut quand on en a besoin; penser donc à leurs dérobades possibles.

Ne compter que sur soi, car les appuis et les secours peuvent être illusoires.

Les réunions auxquelles on peut assister ou qu'on organise risquent d'être houleuses par les oppositions d'idées manifestées bruyamment.

Si on fait des projets, ils louvoient et ceux en cours manquent de consistance.

Le résultat espéré d'une démarche entreprise actuellement sera aléatoire.

Une promesse va être renouvelée plus que réalisée.

Une espérance va briller à l'horizon puis s'éteindre.

S'il s'agit d'un examinateur, comme c'est possible dans cette Maison, il présente le caractère de la figure: incapable de remplir pleinement sa mission.

En Maison XII: Par application symbolique de *Fortuna Minor*, il est impossible de remplir cette Maison des épreuves qu'elle représente.

Sa présence ici est plutôt rassurante dans le sens que les ennuis de toute sorte ne peuvent pas être nombreux ni durables.

Une maladie peut en entraîner une autre sans affecter nettement le malade.

Un manque de liberté, une contrainte, des obligations astreignantes sont temporaires.

La tristesse, la dépression, les inhibitions sont bien supportées, car elles n'influencent pas réellement l'intéressé.

On ne peut pas être prisonnier longtemps de quelque chose ou de gens quelconques. Il y a toujours possibilité de se dégager des liens matériels, sentimentaux ou spirituels dans lesquels on se sent retenu. La liberté n'est pas compromise pour toujours.

Les pertes d'argent, de pouvoir ou de crédit sont momentanées. Avec *Fortuna Minor* dans cette Maison, tous les espoirs sont permis.

Lætitia

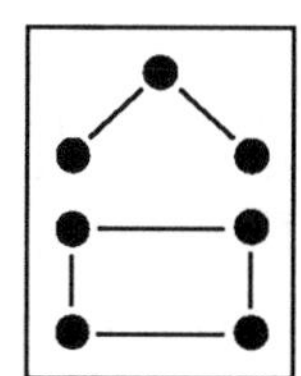

Figure: Eau, mobile, sortante.

Symbolisme: Expansion matérielle ou morale. Surabondance d'énergies.

En Maison I: Le sujet est une personne extravertie, gaie, aimant la vie, satisfaite d'elle-même. Elle est libérale, compréhensive et bienveillante; elle respecte les opinions des autres.

Elle est altruiste, généreuse, sentimentale.

Que dire de plus pour cet être qui a tant de qualités et qui est aimé de tous?

Là où il passe, il apporte la gaieté et la joie de vivre à ceux qui les ont perdues.

Sa présence et son amitié sont recherchées et appréciées.

Cet être rayonnant a tout pour réussir une vie agréable sinon enrichissante.

En Maison II: Succès, aisance dans les gains, les rentrées d'argent, les remboursements d'argent dû. Facilités pour recevoir.

Augmentation des revenus. Épanouissement et satisfaction grâce aux gains.

Avec ces moyens financiers, on ne regarde pas à la dépense pour satisfaire ses besoins, mais aussi ses désirs de jouir des plaisirs de la vie.

S'il s'agit d'une entreprise, elle est sur le chemin de l'expansion dans la prospérité.

Elle se dirige avec dynamisme vers un but précis qu'elle peut atteindre avec succès.

Bien dirigée et bien administrée, elle est invulnérable.

On peut faire confiance à une telle compagnie et aux valeurs qu'elle représente. On peut s'y engager et y investir.

En Maison III: Tempérament optimiste apportant la gaieté à son entourage.

Propension à de nouvelles relations et à des rencontres où règnent l'intellectualité et l'optimisme. Refus des endroits tristes et débilitants. Recherche des circonstances dans lesquelles on peut aider et évoluer.

On fait des déplacements agréables à la recherche de la connaissance, sans précipitation, dans un but précis d'élévation plus spirituelle que matérielle.

On choisit ses moyens de transport dans le sens du confort. On emprunte de préférence les rues et les chemins agréables qui peuvent être enrichissants.

De bonnes facultés intellectuelles disposent à d'excellentes études. Dans une école, les élèves sont studieux et de bonne éducation. Les livres et éditions publicitaires sont de bon goût. Les imprimeurs sont capables de réussir des travaux de luxe.

Les autres moyens d'expression évoluent dans la prospérité, comme l'audio-visuel, la radio, la télévision, les ordinateurs, les télécopieurs, etc. L'ambiance influencielle est aux réalisations concrètes.

En Maison IV: On recherche et on apprécie le confort au foyer. La vie en famille est agréable, gaie et heureuse. Elle prospère et évolue lentement mais sûrement vers un développement des valeurs spirituelles.

La résidence s'embellit, devient davantage fonctionnelle; on aime pour elle un site sain et agréable, de préférence sur une hauteur, avec des arbres.

Les biens de famille s'accroissent régulièrement en quantité et en qualité. Si ce sont des maisons, elles sont jolies, de bonne présentation et bien tenues. Les locataires sont d'un rang social au-dessus de la moyenne.

Si ce sont des terrains, ils sont bien situés dans un lieu qui prend de la valeur.

Si l'intéressé prévoit un arrêt en voyage, il sera choisi en fonction de son confort et de son ambiance agréable. Cette description s'applique à de courtes vacances ou à des périodes de repos.

Si une affaire périclite et doit fermer ses portes, elle le fera sans bruit, dans la dignité.

Ce «visage» bénéfique et heureux de *Lætitia* pourra être celui de la mère pour la consultante ou du père pour le consultant, si le thème est fait dans cette intention.

Une fin de vie dans les conditions de *Lætitia* est à souhaiter.

En Maison V: On peut se considérer heureux en amour, dans une affection partagée et vécue dans l'harmonie. On peut s'emballer avec passion et il n'y a aucune inhibition dans les relations amoureuses.

On ne dédaigne pas de fréquenter et on apprécie les banquets, les danses, les concerts, les théâtres, les sports; en somme, tout endroit, ayant une certaine beauté et un certain luxe, où l'on peut se distraire.

Les enfants sont beaux, bien élevés et probablement nombreux.

Il peut être question d'enseignement. Dans ce cas, c'est un enseignement qui élève l'esprit, qui est fécond, dynamique. Il exprime l'amour et la compréhension de l'origine de la vie.

Cet enseignement remonte aux sources de toute chose. Il est parfaitement assimilable et concourt à l'épanouissement de l'être humain.

Le temps est bon pour les opérations financières qui peuvent être en hausse (pour l'intéressé). On peut donc spéculer avec beaucoup de chances de faire fructifier ses mises.

En Maison VI: L'emploi est valorisé. Le travail est intéressant, intellectuellement enrichissant. Il dynamise l'esprit dans une bonne direction, détermine une croissance de la personnalité et une maturation de l'esprit.

Le questionneur est apte à réussir, car il a de l'ambition et sa persévérance est un gage de réussite.

Succès par la discipline.

Il est enclin à étudier dans le but de s'élever dans sa profession, plus exactement dans son travail, avec l'espoir de «monter», quitte à changer quelque chose.

Sa valeur professionnelle augmente avec ses connaissances et une promotion est possible, et méritée.

S'il est question d'employés, de serviteurs ou de salariés, leur nombre peut avantageusement s'agrandir; de toute façon, ils remplissent bien les tâches qui leur sont confiées; ils donnent satisfaction.

L'état général de santé s'améliore par un apport d'énergies nouvelles. Mais c'est différent s'il s'agit d'une question concernant une maladie. Ce symbole ne peut que suggérer une expansion, une élévation, donc une aggravation qui favorise la maladie. Il n'y a pas d'autre interprétation logique possible.

En Maison VII: Si un mariage est en vue, ce sera un beau mariage d'amour dans l'harmonie spirituelle, la joie et la fertilité.

Les associés dans une affaire, comme le conjoint du consultant, ont une abondance d'énergies qu'ils emploient à la croissance de l'affaire intéressant le questionneur.

Si le conjoint est concerné, il est représenté comme dynamique et décidé, avançant vers un but bien précis.

Symboliquement, il y a expansion, croissance, surabondance d'énergies déployées dans un procès, une lutte, pour régler un litige ou une contestation.

La foi conjugale et la fidélité vont s'élever, croître, et une séparation ou un divorce sont peu probables.

Les affaires en général sont fécondes, il y a davantage de signatures de contrats de vente ou d'achat; les marchés se traitent avec aisance et satisfaction.

En Maison VIII: Une renaissance s'amorce dans la vie du questionneur. Son état d'esprit fait place à une nouvelle façon de concevoir son existence.

Il aimerait changer pour mieux percevoir la réalité de la vie. Pour ce faire, il doit tourner la page et envisager une transformation vers un but plus élevé. La décision à prendre est prometteuse de succès.

Si ses affaires sont compliquées, il lui est possible de se reconvertir en tirant un trait sur le passé.

Les biens et les valeurs reçues en héritage se valorisent, ainsi que les biens issus d'une faillite.

On craint la mort, alors qu'au contraire on peut espérer une longue vie.

Si un accouchement est en vue, il se passera très bien, avec un minimum de douleurs.

Si le sommeil est mauvais, il s'améliore.

Hausse des montants des retraites et des pensions.

En Maison IX: Les occupations intellectuelles sont d'actualité. L'intérêt qu'on peut y apporter est porteur d'évolution.

Il est nécessaire de satisfaire les aspirations spirituelles du consultant.

La réalisation harmonieuse de son programme de vie en dépend. La chance lui est donnée à présent pour se préparer à faire un bond dans cette direction.

Des animations dans le domaine social lui sont offertes et contribueront peut-être à l'élévation qu'il recherche.

L'enseignement spirituel évoqué ici est de haut niveau et parfaitement assimilable. Il se donne simplement, sans fioritures, agréablement.

Les écrits qui s'y rapportent sont parfaitement clairs et les Maîtres sont d'un niveau élevé de compétence.

Les rapports que l'on peut avoir avec des étrangers et avec leur langue ainsi que leurs concitoyens sont excellents et apportent beaucoup de choses positives. L'apprentissage des langues étrangères est particulièrement facilité actuellement.

De longs voyages éventuels se feraient dans de très bonnes conditions.

En Maison X: On constate une élévation sociale vers le sommet de la carrière; c'est la satisfaction des ambitions qui se réalise.

De cette position, le consultant a une vue élargie du chemin parcouru. Il analyse les différentes rencontres. Il voit ses compagnons de route moins chanceux avancer quelquefois péniblement; il les comprend et pense à les aider, car il est généreux et rempli de bonnes intentions.

S'il est question des directeurs, des employeurs, ceux-ci sont satisfaits de leur personnel, comme de la croissance des affaires qu'ils animent; leur situation progresse dans la même mesure.

S'il s'agit d'un médecin de famille, il n'est pas très réaliste, il a «la tête en l'air». Toutefois, cet état d'esprit ne l'empêche pas d'avoir du succès auprès de sa clientèle.

La mère du questionneur est représentée ici, comme le père de la consultante, par de bons aspects relevés dans cette figure.

En Maison XI: Les amitiés sont nombreuses dans un milieu social élevé; elles sont plus flatteuses que véritables, mais la situation aisée de ces amis, leur célébrité font honneur au questionneur, et lui constituent une auréole.

Dans cette ambiance, il est quand même possible de se lier d'amitié, de faire des rencontres qui indirectement apporteront des choses positives.

On peut espérer que les protections viendront d'en haut, si elles «boudent» en bas.

On est tenté d'assister à des réunions snobs, mais agréables et gaies.

Les projets qu'on a en tête ont de grandes chances de réussir.

Si des démarches doivent être faites, elles peuvent l'être, car elles ont beaucoup de chances de donner satisfaction.

Un examinateur est représenté ici par *Lætitia*. Sa bienveillance encourage l'espoir d'un succès dans un examen.

Il n'est pas possible de prévoir si des promesses faites seront tenues, car elles ont été faites «en l'air» sans beaucoup de réflexion.

En Maison XII: Le consultant possède une abondance d'énergies qui lui permettent de renverser tous les obstacles qu'il peut rencontrer sur son chemin.

Une sorte d'invulnérabilité découle de cette situation privilégiée.

Il peut donc passer sans difficultés majeures à travers une grave maladie.

Il acceptera facilement un séjour prolongé dans des conditions d'inconfort et de stress.

Il se remettra avec confiance des conséquences d'un accident.

Dans une situation d'abandon, il remontera facilement la pente. Il viendra rapidement à bout de ses ennemis.

Si sa situation financière est catastrophique, il aura suffisamment d'énergies pour faire surface.

Populus

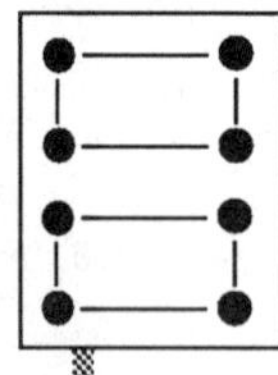

Figure: Terre, commune, entrante.

Symbolisme: Dispersion. Désagrégation. Prolifération. La foule. Dissolution dans la quantité, perte de personnalité.

En Maison I: C'est une personne aux idées qui se bousculent, une nature inconstante, instable, extrêmement mobile, matérialiste, un peu vulgaire, même excentrique.

La confusion règne dans son esprit, comme dans ses opinions.

Elle prend des engagements éphémères et se perd dans des bavardages sans fin. Elle avance en aveugle et prend de multiples initiatives incohérentes.

Influencée par l'opinion publique, elle est indécise, imaginative, avec le sens du calcul.

La foule l'attire, elle fuit la solitude. C'est la personne publique par excellence; elle a le contact facile.

En Maison II: Les gains sont nombreux mais petits et variables; ils viennent de tous les horizons. Ils tombent comme des gouttes d'eau de provenances les plus diverses.

Devant ce manque de constance et d'homogénéité, il est difficile de faire des prévisions.

C'est l'incohérence dans les projets financiers à long terme.

C'est un va-et-vient entre les rentrées et les sorties d'argent.

Il y a regroupement des activités financières et souvent des difficultés d'argent.

Les ressources provenant des titres et des valeurs boursières se développent et évoluent anarchiquement.

En Maison III: Les relations avec l'entourage, avec les frères et les sœurs sont passablement compliquées, embrouillées. L'incompréhension est à son comble et favorise les disputes.

On se déplace beaucoup, et ce dans toutes les directions, sans véritablement en tirer profit.

On sème beaucoup de choses sans importance et on gaspille temps et énergie.

On s'égare dans des démarches qui n'aboutissent nulle part.

La multiplicité des efforts non dirigés est décourageante.

Les facultés intellectuelles sont confuses. On veut tout apprendre et le choix s'avère difficile.

Dans un enseignement, les élèves sont trop nombreux et indisciplinés.

L'efficacité de l'enseignement est en baisse.

Les moyens de communication non coordonnés manquent d'efficacité. Le fait qu'ils fassent souvent double emploi complique leur utilisation.

Le courrier qui peut arriver est sans importance.

En Maison IV: La famille éparpillée a tendance à se resserrer. Elle est nombreuse et animée. Les rapports y sont incohérents. Les nombreux allers et retours du foyer sont probablement causés par l'éloignement du lieu de travail.

Le foyer est bruyant, on y bavarde beaucoup; c'est un peu la vie dans une communauté où chacun se conduirait selon sa fantaisie.

De fréquents changements de résidence rendent la vie familiale instable.

Les biens familiaux se regroupent par ventes et achats successifs. On se désintéresse de leur entretien; leur rentabilité n'est pas vérifiable.

On s'égare dans la foule lors des arrêts en voyage.

Le but dans la vie est mal défini; il est souvent remis en question.

Si une affaire doit se terminer, ce sera dans le désordre le plus complet.

S'il est question du père du questionneur ou de la mère de la consultante, ils apparaissent comme des personnes bavardes, un peu désordonnées, aimant davantage le public que leur intérieur, et de condition modeste.

En Maison V: Les enfants s'intéressent aux sports et ont beaucoup de relations.

Enfant adultérin possible.

Nombreux plaisirs dans les lieux publics; on recherche le monde pour se distraire.

On collectionne les vêtements, car on en change souvent.

En amour, on papillonne, on s'emballe sans lendemain; aucune durée sentimentale.

Situation confuse, instable. Engagements à déconseiller. Dépendance de l'autre.

Possibilité de grossesse gémellaire pour la consultante.

Les affaires sentimentales sont toujours brouillées.

S'il est question d'enseignement, c'est l'école publique qui est choisie, et une culture générale est préconisée.

Les opérations financières sont de faible importance, mais multiples. Les investissements semblent plus avantageux dans les affaires concernant des produits liquides et de grande consommation.

Quant aux lectures, on ne les choisit pas.

En Maison VI: Travail avec le public. Petits travaux multiples sans grand intérêt.

Travaux qui exigent de nombreux petits déplacements.

Possibilité d'association, d'équipe, de groupement.

Travail à la pige.

Sous-traitance. Emploi instable.

Chômage (voir Accords des éléments).

Contestations syndicalistes au sein du personnel; mécontentement salarial.

Travail exigeant beaucoup de connaissances.

Santé fragile. Nombreuses petites maladies, mais aussi possibilité de prolifération cellulaire; kyste, verrue, fibrome, tumeur bénigne ou maligne (consulter les Accords des éléments).

Abondance des remèdes en ce qui a trait aux prescriptions; efficacité.

Malade en dortoir. Personnel soignant en surnombre.

Études professionnelles polyvalentes. Promotion douteuse.

Alimentation inadaptée. Boulimie.

En Maison VII: Dans une entreprise, il y a trop d'associés inefficaces.

Le questionneur participe et s'intéresse à de nombreuses associations et à des groupements communautaires.

Il assiste à beaucoup de rencontres où l'on discute, où l'on conteste et où des querelles sans gravité sont fréquentes.

Le questionneur est procédurier et multiplie les petites interventions judiciaires.

On fête souvent.

S'il y a mariage ou fête d'anniversaire, on invite beaucoup de monde.

Nombreux petits contrats en général soit pour le travail, soit pour des transactions de quelque nature que ce soit.

Vulgarité du conjoint.

En Maison VIII: On progresse en aveugle, avec tous les risques que cela comporte.

S'il est question d'un grand changement dans la vie d'une personne, d'une administration ou d'une affaire en général, ce changement va se faire dans l'anarchie et aboutira au désordre.

Les biens venant d'un héritage se regroupent, ainsi que ceux provenant d'une éventuelle faillite.

L'éclat, la renommée, les bons résultats d'un salon ou d'une exposition persistent après la fermeture; il y a une suite.

En ce qui concerne les maladies, elles ont tendance à se compliquer.

Le sommeil est agité.

Il y a regroupement, réévaluation des pensions et des retraites, et ce par démagogie.

En Maison IX: Perturbation mentale. Opinions changeant constamment.

Croyances naïves. Bavardage incohérent, paroles vides.

Besoin d'évasion. Imagination désordonnée.

Beaucoup d'idées, peu de réalisations.

Rêverie mélancolique.

Tendance à se laisser entraîner sans réfléchir aux résultats.

Moment impropre à l'enseignement spirituel; manque de concentration.

Éparpillement des occupations mentales, on papillonne de-ci de-là.

L'étude des langues étrangères est favorisée par de multiples contacts avec des gens de races différentes.

Les grands voyages sont rares, par contre, de nombreux petits voyages sont possibles.

En Maison X: Le consultant est très populaire, sa situation sociale réside dans cette popularité. Il a véritablement la science du contact humain.

Son élévation est toute relative; elle est supportée par de nombreux contacts dans des associations professionnelles.

Il ne manque pas de se débattre pour se maintenir dans une carrière qui n'est pas de tout repos, mais dans laquelle il évolue avec aisance.

Le niveau de vie n'est pas très élevé; trop de petites ambitions pour avoir un grand résultat. Ce qui lui manque, c'est de voir grand.

Petits crédits, dispersés de-ci de-là.

S'il est question d'une entreprise, sa destinée est compromise par un manque de coordination, par une expansion non dirigée.

S'il s'agit d'un médecin ou d'un pharmacien, ils s'attachent au détail, au détriment du principal.

La mère du questionneur ou le père de la consultante sont perdus dans une foule de petites occupations. C'est un peu la médiocrité.

Si l'intéressé est un gouvernement, une chute du pouvoir est à craindre.

En Maison XI: Les relations amicales sont nombreuses, mais de peu de poids.

Des gens modestes sont remplis de bonnes intentions, mais peu efficaces.

Beaucoup de bavardage, de promesses qui s'envolent.

Les protecteurs n'ont pas de grands pouvoirs, et les secours qu'ils pourraient donner sont de peu d'importance.

Les appuis et les recommandations peuvent être nombreux, mais faibles et compliqués et, par conséquent, leur efficacité se fait attendre.

Les réunions rassemblent de nombreux participants, où l'intéressé aime bavarder à loisir.

Les projets qu'il forme sont nombreux, mais de peu d'envergure.

Entreprendre une démarche actuellement, c'est perdre son temps.

S'il est question d'un examinateur, on peut le représenter comme quelqu'un de brouillon.

En Maison XII: La prolifération, symbolisme de cette figure, va multiplier le nombre des épreuves, mais sans les aggraver.

Un regroupement d'ennuis permet d'abréger le temps qui aurait été nécessaire au développement de chacun d'eux; c'est une purge qui libère.

Ce vécu ne se ferait pas dans l'isolement, mais en communauté, ce qui est plus acceptable; le bavardage romprait la monotonie des heures d'immobilité dans le cas de maladie.

De multiples efforts, pas toujours très ordonnés, sont mis en œuvre pour se tirer d'une mauvaise situation financière, comme d'une maladie.

Beaucoup d'initiatives doivent contribuer à s'en sortir.

Ce n'est pas l'immobilisme déprimant, décourageant, mais un élan de forces ascensionnelles qui entrent en jeu.

Les soucis et les ennuis arrivent et s'envolent. C'est une ambiance temporaire qui finira avec le lot d'épreuves prévues actuellement.

Puella

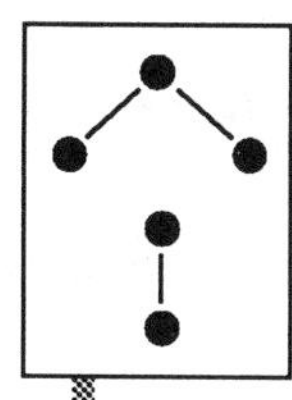

Figure: Eau, fixe, sortante.

Symbolisme: La femme. L'élément féminin dans toutes ses manifestations.

En Maison I: Cette personne a l'amour de la nature. Elle est douce, compréhensive, sachant peser le pour et le contre avant de parler ou d'agir.

Cet être est calme, aime la paix et les belles choses. Sa grâce et sa courtoisie le font aimer par son entourage.

Il est souvent à la recherche du moindre effort dans l'action, et fuit les soucis auxquels il ne veut pas penser.

Concernant une entreprise, les mêmes qualités, qui pourraient devenir des défauts dans les affaires, peuvent lui être appliquées.

Si elle commence dès maintenant, elle le fera sous de bonnes influences de sérénité et de réflexion, dans l'harmonie.

En Maison II: Il y a une recherche dans la stabilité des gains. On est prudent, on suppute l'avenir. On est inquiet sur la régularité et la durée des rentrées d'argent.

Il est bon de rechercher les profits dans les activités artistiques et dans tout ce qui a trait à la femme.

Ces activités sont en accord avec la psychologie de l'intéressé; il y évoluera et les développera avec succès.

Il est également avantageux de s'engager dans la fabrication ou la diffusion des produits naturels.

On est tenté de dépenser pour les plaisirs, le confort, les choses agréables et belles; mais aussi pour faire des dons charitables.

En Maison III: On s'entend bien avec ses frères et sœurs, ainsi qu'avec son voisinage. Les rapports sont courtois avec les proches et les collègues de travail.

On regarde particulièrement le côté agréable dans les déplacements et on leur donne la préférence.

Dans les déplacements, on prend les itinéraires en fonction de leur côté agréable et sentimental.

Intellectuellement, on s'intéresse à l'étude de la nature, des arts, de tout ce qui fait vibrer la corde sentimentale.

En ce qui concerne l'éducation, on insiste sur le côté affectif.

On aime lire les histoires d'amour; on visite les musées, les expositions d'art.

En Maison IV: Peut-être plus que tout le monde, le consultant est sensible à ce qui est beau et agréable, et pour sa résidence, il en fait une condition primordiale. Il fait en sorte que le bonheur et l'harmonie règnent dans son foyer. Par conséquent, son intérieur est cossu, bien décoré, artistiquement arrangé.

Il est fait pour la satisfaction des yeux et de l'âme. Comme il aime la nature, il utilise largement les plantes vertes pour agrémenter son environnement.

La maison elle-même est coquette et bien tenue. Fleurs et plantes la décorent.

Il veille à entretenir l'esthétique des biens immobiliers familiaux, et ne les laisse pas se dégrader.

Lorsqu'il voyage, il ne s'arrête pas dans un hôtel de second ordre.

S'il est question d'une maladie, on peut espérer qu'elle va vers sa fin, dans de bonnes conditions, sans séquelle.

Si l'on doit terminer quelque chose, on le fera en beauté, délicatement, en douceur, en mettant fin à une entreprise, à un engagement, à une situation, etc.

La mère de l'intéressé, comme le père de la consultante sont des gens charmants, pleins d'attention, agréables et gais.

En Maison V: Une heureuse naissance est possible. On aime les enfants, on est patient et très compréhensif avec eux.

On aime le monde, la joie de vivre. On est sentimental et on le prouve. On est talentueux, et on adore la musique.

On est communicatif et on ne cache pas ses impressions, on aime parler. Dans les rapports avec autrui, le sentiment l'emporte sur le sens des affaires. Ceci peut être dangereux, car il est dit qu'«on ne doit pas faire de sentiment en affaires».

Le beau tissu, les salons d'esthétique sont appréciés.

Le soleil fait partie de la vie et on adore s'y exposer.

L'intéressé ne conçoit pas la vie sans l'amour; il est plein de délicatesse dans ses rapports amoureux.

S'il est question d'enseignement, celui-ci est donné agréablement en dehors de toute austérité, avec le souci de le rendre plaisant.

L'école elle-même respire la paix, la joie d'y étudier.

Pour ce qui est des investissements financiers, ils sont valables en général sans être très importants. Ils seraient plus avantageux dans les affaires en relation avec tout ce qui touche la femme que dans d'autres domaines.

En Maison VI: La tendance est de s'intéresser aux emplois touchant ce qui se rapporte aux femmes ou à l'art.

Il y a efficacité dans les domaines: des vêtements, des bijoux, des parfums, de l'esthétique, de la coiffure, des œuvres d'art... Pour certains, ce sera l'organisation de banquets, de concerts, de danses, de représentations théâtrales, de jeux, etc.

De toute façon, le travail est agréable, sinon très rémunérateur.

Dans le métier envisagé, des connaissances sur la psychologie féminine sont un excellent atout.

Concernant la santé, celle-ci est surtout tributaire des rapports du questionneur avec les femmes, psychologiquement comme physiquement.

Si le consultant est une femme, sa santé sera tributaire de son fonctionnement hormonal.

Dans une entreprise, le responsable sera faible envers le personnel.

En Maison VII: L'entente est bonne avec le conjoint.

L'harmonie règne entre les associés d'une entreprise et cela dans un climat chaleureux.

L'influence féminine est sensible et personne ne s'en plaint.

L'ardeur au travail n'est pas le souci fondamental de l'équipe et un peu de laisser-aller est bien accepté.

Si on a des ennemis, ce sont plutôt des femmes.

Pour se défendre en justice, le questionneur aurait intérêt à s'adresser de préférence à une femme.

Les litiges, les contestations sont plus généralement dans le domaine féminin.

L'attrait pour ce qui touche les femmes n'est pas une ombre pour le bonheur conjugal.

Les affaires en général se traitent agréablement sans agressivité. Elles satisfont sans pour cela être très rentables. C'est la même chose en ce qui concerne les contrats: travail ou transaction.

En Maison VIII: Il est possible de faire un héritage provenant d'une femme.

La fin d'une amitié ou d'un amour peut entraîner un bouleversement de la vie affective. Une intense remise en question peut s'ensuivre.

Un excès dans les rapports sexuels peut être dommageable pour la santé.

Dans une entreprise qui décline, un remaniement complet, un bouleversement des objectifs seraient salutaires. Plus encore, en axant de nouvelles activités dans la direction des intérêts féminins.

Le sommeil pourrait être peuplé de fantasmes; les peines et la crainte de la mort sont apaisées.

On peut s'attendre à voir se développer les dons psychiques. Les pouvoirs occultes latents s'éveillent.

En Maison IX: Les sentiments religieux se développent. L'attrait pour la philosophie se manifeste.

On lit, on assiste aux conférences initiatiques; l'intérêt est intense pour tout ce qui touche à l'occultisme.

Érotisme divinisé.

Sentiments religieux qui pourraient inciter à entrer dans les ordres.

Besoin d'assister à la messe et aux offices ou rituels religieux.

Recherche d'un Maître, d'un gourou pour vivre une initiation.

Les études pourraient être favorablement dirigées vers les arts, la mode, la coiffure, l'orfèvrerie, la décoration.

Les éditions artistiques sont en bonne voie d'expansion.

Les contacts avec l'étranger ou les étrangers sont facteurs d'enrichissement.

Possibilité d'amour en voyage ou avec un étranger.

En Maison X: Carrière favorable dans la direction artistique, puis favorisée par des interventions féminines.

Carrière agréable, génératrice de sentiments, de reconnaissances et d'honneurs.

Métier de luxe exercé sans grands efforts.

Train de vie entouré par les femmes.

Crédit auprès des dames.

Réussite d'une entreprise dirigée par une femme.

Recherche d'un support publicitaire pour développer une affaire.

Profession dans les produits de beauté.

Un médecin est caractérisé par sa douceur et sa considération affectueuse pour sa clientèle.

S'il est question de la mère du consultant ou du père de la consultante, ils sont agréables à vivre et très affectueux.

Ils recherchent l'entente non seulement avec leurs enfants, mais aussi avec tout le monde; ils ont beaucoup de tenue et de gentillesse.

En Maison XI: Les amitiés les plus sûres sont les amitiés féminines. Elles peuvent apporter aide et protection. On peut compter sur leur fidélité et leur faire confiance. Elles sont généreuses et inconditionnelles.

Les réunions féminines sont recherchées parce qu'elles apportent des idées et des moyens de compréhension complémentaires.

On fait des projets concernant des activités féminines.

Les démarches que l'on peut entreprendre actuellement sont vouées au succès.

Dans le cas d'un examen, l'examinateur a des chances d'être une femme ou d'en avoir les qualités et... les défauts.

Un cadeau peut venir d'une dame; s'y attendre.

Pour savoir si les promesses d'une femme seront tenues, examiner l'accord ou le désaccord des éléments en présence.

Le même processus sera tenté pour connaître la réalisation ou non d'une chose souhaitée ou demandée.

En Maison XII: Les épreuves ont pour origine les femmes.

Elles seront plus ou moins douces à subir (voir Accords des éléments).

Les gens qui veulent du mal au questionneur sont en général des femmes.

Les critiques, les rumeurs désagréables ou préjudiciables concernent des affaires féminines.

Beaucoup d'illusions à l'égard des dames, ainsi que des intrigues qui se trament.

En cas de maladies, les meilleurs soins seront ceux donnés par les femmes. Mais aussi les maladies peuvent être contractées par elles.

Une privation de liberté s'acceptera facilement grâce à une présence et à l'attention féminine; que ce soit dans un hôpital, dans une maison de repos, dans une pension ou dans une prison.

La tristesse, la monotonie des lieux où l'on travaille sont égayées par une ou des présences féminines.

On aime la solitude.

Les accidents sont peu nombreux.

Puer

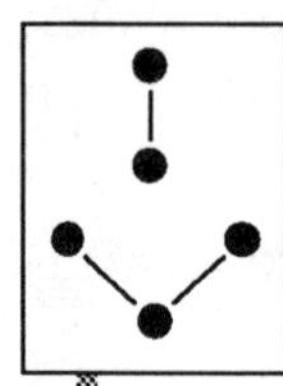

Figure: Feu, mobile, sortante.

Symbolisme: L'homme dynamisé. Tout ce qui a rapport avec la virilité.

En Maison I: L'intéressé est un lutteur acharné, bien décidé à réussir.

Il emploiera les moyens forts s'il le faut. La fin justifie les moyens.

Il est entêté, intraitable, souvent agressif, quelquefois brutal et coléreux.

Il s'emballe facilement et se révolte devant ses insuccès. Il est impatient et il ne faut pas l'arrêter dans ses élans.

Son tempérament le rend super actif.

Concernant une entreprise, elle est menée de main de maître. Elle est dynamique, traite rapidement beaucoup d'affaires, les mène «tambour battant», ce qui ne veut pas dire qu'elles sont rentables. Le but, c'est le chiffre d'affaires.

En Maison II: L'extrême activité professionnelle, souvent irréfléchie n'apporte pas les profits escomptés.

Les rentrées d'argent sont aléatoires, inconstantes.

Un gaspillage d'énergies n'est pas propice aux gains.

Une vie active mouvementée est génératrice de dépenses souvent inconsidérées.

Le fait de vouloir entreprendre quelque chose coûte que coûte revient cher.

L'équilibre des rentrées et des dépenses est compromis et des remises en question financières sont fréquentes.

Dans cette instabilité, les projets de redressement de situation sont illusoires.

Les profits que l'on peut retirer d'une affaire menée souvent par coups de tête, sans égard aux moyens sont compromis.

En Maison III: Les relations avec les frères et les sœurs, ainsi qu'avec l'entourage sont difficiles, étant donné le caractère impulsif de l'intéressé.

Sa liberté excessive sans égard pour les autres ne lui vaut pas leur sympathie.

Son esprit querelleur engendre des heurts et des paroles vives. Des polémiques s'engagent avec les proches et les collègues de travail.

Les déplacements, rapidement décidés, se font sans réflexion suffisante.

Les démarches se font sur des coups de tête et ne donnent pas les résultats espérés.

Le moyen de transport est brutalisé et mené durement.

Les facultés intellectuelles sont débordantes d'activités créatrices, avec un esprit ingénieux, subtil et très critique.

On n'a que faire des principes et des questions éducatives, on a autre chose à faire de plus urgent, et pas de temps à perdre pour cela.

L'intéressé lit peu, il écrit très vite des textes illisibles.

Pour une entreprise commerciale ou de communication, c'est la bousculade, dans des activités fébriles. Les résultats ne viennent que par de nombreux efforts. On «bâcle» le courrier, on court.

En Maison IV: La famille vit à un rythme accéléré; on n'a pas le temps de respirer. Une décision succède à une autre, ce qui rend l'ambiance familiale désagréable. L'unité est difficilement maintenue, l'ambiance n'est pas très bonne, et des querelles s'ensuivent.

Le désordre dans la maison est fréquent.

S'il y a des biens immobiliers familiaux, on n'a pas le temps de s'en occuper comme il le faudrait; l'entretien des immeubles est fait à la va-vite. Si quelque chose ne va pas au niveau des locataires, du gérant ou des travaux en cours, on prend les grands moyens pour régler la situation.

Si on doit terminer quelque chose, une entreprise, un engagement, une situation donnée, le règlement est pris sans ménagement, avec fermeté. La fin justifie les moyens; on poursuit son but sans fléchir. La mère de la consultante ou le père du consultant sont des personnes énergiques qui ne s'en laissent pas conter.

En Maison V: Les enfants sont turbulents, difficiles, élevés dans l'indépendance et sévèrement réprimandés étant donné leur allure insolente.

Passion, emballement, adultère sont le lot d'un tempérament aux désirs sexuels puissants. Jalousie. Égoïsme.

Hardiesse en amour avec les suites qui en découlent.

Brouille et rupture dans le domaine sentimental.

Apparence vestimentaire plutôt négligée.

L'enseignement, s'il en est question, est axé sur les sports violents, les métiers tels que la police, l'armée, l'exploration.

On apprend à développer l'homme d'action.

En Maison VI: On note une instabilité dans le domaine professionnel en raison du caractère du questionneur.

D'abord son caractère rebelle lui vaut des réprimandes, il agace ses collègues de travail comme ses chefs. Son manque de discipline nuit à sa promotion. Situation tendue.

Il veut toujours aller plus vite, brûle les étapes. Il a besoin d'un métier dans lequel il puisse exprimer le dynamisme ardent dont il est pourvu; il semble que ce ne soit pas le cas à présent.

Si la question concerne la santé, on pense à des maladies aiguës, à évolution rapide, qu'il faut combattre énergiquement.

Peut-être ne pas hésiter à penser aux méthodes chirurgicales, électrochocs et autres disciplines un peu brutales.

Le malade est difficile et peu discipliné.

En ce qui concerne les employés et autres salariés, ils contestent facilement. Ce sont des gaspilleurs de temps, mais aussi des produits qu'ils fabriquent ou qu'ils manipulent, par suite de bousculade dans le travail.

Pour les études, on a soif de savoir.

On n'est jamais satisfait, on entreprend beaucoup sans approfondir; c'est du «touche-à-tout».

En Maison VII: Le partenaire n'est pas facile à vivre. Il est coléreux, querelleur, jamais satisfait de son sort et parfois infidèle; ses qualités sont ailleurs.

Dans la direction d'une entreprise, les associés ne s'entendent pas toujours.

Une foule de projets se contredisent, les discussions sont très animées, parfois violentes.

Chacun voulant faire mieux que les autres, l'entreprise pâtit de ce manque de cohésion administrative.

S'il est question de justice, la ou les actions en cours sont extrêmement animées au préjudice de la rapidité des jugements.

Les contestations, les bagarres verbiales et épistolaires enveniment les relations.

S'il s'agit d'un mariage, il est fertile en rebondissements et discussions; dans le cas d'un divorce, son règlement traîne en longueur.

Les contrats en cours de signature sont discutés dans une atmosphère d'exigences de part et d'autre.

Contrats de travail, de vente ou d'achat se traitent avec la combativité du «chacun pour soi», sans concession.

En Maison VIII: S'il est question d'un héritage, son règlement engendre des querelles, du mécontentement, chacun tire violemment la couverture à soi.

Une modification importante, un grand changement envisagés dans l'immédiat seraient réalisés dans de mauvaises conditions.

L'impulsivité, les actions et les décisions irréfléchies nuisent au bon déroulement des résultats escomptés.

Il y a risque de perte des biens du conjoint.

Disparition d'un adversaire, pas forcément par décès.

Impossibilité de récupérer quoi que ce soit dans une faillite.

Recrudescence d'une maladie.

Mise en œuvre de moyens exceptionnels pour combattre une maladie.

Accouchement risqué.

Sommeil très agité.

En Maison IX: Querelles philosophiques ou religieuses. Volonté d'imposer son point de vue, avec véhémence.

Esprit ingénieux, subtil, très critique.

Psychisme très actif. Goût de la contradiction.

Désirs d'activités sociales, d'organisations sportives, d'arts martiaux, dont on aimerait être à la tête.

Intérêt pour les sciences, les explorations à haut risque.

Si un voyage à l'étranger a lieu, il ne se déroulera pas dans le calme. Il sera rempli d'imprévus, pas toujours agréables. Les activités comportant souvent des risques promettent d'être intenses et mouvementées.

Des querelles ou altercations sont prévisibles avec des personnes étrangères.

Le moment n'est pas propice à l'étude des langues étrangères; on n'a pas suffisamment la tête à ce que l'on fait.

En Maison X: L'intéressé a conquis de haute lutte la situation à laquelle il est parvenu.

Rien n'a été facile; beaucoup d'énergies ont été dépensées, parfois gaspillées à cause d'actions irréfléchies. On s'est battu parfois sans égard aux moyens employés.

Vexations, animosités émaillent le chemin parcouru. Le résultat est cependant acquis et si l'intéressé est calmé, son intense besoin d'avancer le laisse sur sa faim.

Le train de vie est remis en question dans le but d'une amélioration.

Le crédit est bon, mais on se méfie des emballements imprévisibles du questionneur pour des affaires à risques.

S'il est question de patrons, ils sont «fougueux», dynamiques, dominateurs; ils sont prêts à prendre des risques dans des affaires qu'ils développent coûte que coûte avec trop peu de préparation.

Un médecin représenté ici se révélerait efficace, rapide dans ses décisions et aimant le risque.

La situation d'une affaire, d'un pays, d'un gouvernement s'interpréterait comme un gâchis d'énergies dans des décisions improvisées.

La mère du questionneur ou le père de la consultante apparaissent comme des personnes hyperactives, employant tous les moyens pour réussir avec instinct de possession.

En Maison XI: On recherche et on a des amis actifs, remuant des idées ou des affaires du genre sportif, ne restant pas les deux pieds dans le même sabot.

Les relations avec eux ne sont pas toujours tendres, car on n'a pas «la langue dans sa poche» et on discute avec fougue.

On a tendance à imposer son point de vue.

L'impulsivité, la combativité dans les relations amicales ne favorisent pas les appuis et les recommandations, car on risque de ne pas être perçu favorablement.

L'intéressé aime les réunions animées, et si elles ne le sont pas, il se charge de les rendre telles.

Si un projet est mis sur pied, il faut qu'il se réalise au plus tôt.

Si une démarche est à faire, on y court.

Un examinateur dans cette Maison est dépeint comme une personne impulsive, critique, rendant son jugement sans mûre réflexion.

En Maison XII: Étant donné le caractère belliqueux du sujet, il va s'attirer beaucoup d'ennuis.

Ses ennemis guetteront ses faits et gestes et saisiront tous les prétextes pour lui nuire.

Ses actions irréfléchies, son esprit critique et aventureux sont mal interprétés et lui apportent préjudice et mauvaise renommée.

Au cours de ses activités physiques trop violentes, il risque des accidents le concernant ou occasionnés aux autres.

L'excès d'activité physique peut diminuer sa résistance vitale; ses besoins sexuels importants risquent de lui faire contracter une maladie vénérienne.

Un gaspillage d'énergies dont il ne se prive pas n'est pas toujours compensé, et le risque d'affaiblissement, de dépression psychique est grand. Un surmenage est à craindre.

Sachant tout cela, l'intéressé pourra prendre toutes les dispositions qui conviendront pour atténuer ou éviter ces épreuves, car rien n'est définitif.

Rubeus

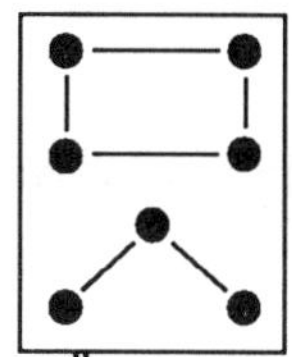

Figure: Terre, fixe, entrante.

Symbolisme: Révolte; tout le symbolisme de la couleur rouge: chaleur, feu.

En Maison I: Le questionneur est perpétuellement en position de refus: celui de sa condition de vie, tant émotionnelle que matérielle.

Son insatisfaction est totale et suscite en lui un sentiment de révolte contre son destin.

Il n'est cependant pas découragé et à l'hostilité de ses conditions de vie, il oppose la résistance de celui qui ne tient pas à être battu et qui veut réformer.

L'agressivité découlant de cette situation réformiste n'est pas perçue avec plaisir par son entourage; cela provoque une incompréhension qui lui est nuisible.

Il lui arrive de manquer de sang-froid, de se mettre en colère et d'être parfois brutal, ce qui aggrave son cas. C'est dommage pour lui, car il est dépourvu de méchanceté. Les apparences sont trompeuses.

On sent chez lui la possibilité de danger et de risques par le feu ou par le sang.

En Maison II: Dans le domaine des gains, comme dans celui des dépenses, tout est inattendu.

La violence et l'insubordination sont souvent à la base d'un manque de gains et de déboires importants.

Le profit que l'intéressé pourrait retirer des tractations est compromis par les changements ou bouleversements qu'il impose. Il serait tenté de corrompre pour sa propre satisfaction, sans même avoir besoin d'argent.

Il ne peut pas compter sur les profits qu'il pourrait retirer d'un voyage ou d'une affaire quelconque en raison de son impatience et de ses revirements brutaux.

Cette façon de vouloir détruire pour reconstruire en refusant des résultats obtenus le pousse à l'audace, à la témérité et même à la ruse.

Quoi qu'il fasse, sa façon de s'y prendre ne le conduira pas au succès financier.

En Maison III: Les relations avec les frères, les sœurs et l'entourage sont mouvementées et sans aucun ménagement sentimental.

Les contestations, la non-acceptation de certaines situations rendent le questionneur désagréable et antipathique.

La discorde avec les voisins et les collègues de travail est «monnaie courante».

Les rencontres d'affaires ou sentimentales sont empreintes de criticisme, de passion dans des discussions orageuses.

Même si le moyen de transport est encore valable, on éprouve, brutalement et sans grande réflexion, le besoin d'en changer. Bien qu'on affectionne le chemin de fer pour se déplacer, on ne l'utilise pas souvent.

Les facultés intellectuelles sont désordonnées. Des études commencées sont interrompues avant terme. L'histoire des peuples et des guerres intrigue le questionneur. Il écrit volontiers à l'encre rouge.

Si on s'intéresse à une affaire commerciale ou artisanale, celle-ci est en relation avec le feu et avec ce qui se rapporte à la chaleur et à la lumière rouge.

En Maison IV: Le foyer est sous le signe de la mésentente, du refus de la situation acquise et de la façon d'y vivre.

Tout déplaît, tout est sujet à controverse.

On parle de démolir en tout ou en partie la résidence pour effectuer des transformations. La prudence s'impose, car il y a risque de feu par l'électricité, même par les orages ou seulement par les cigarettes.

Il y a notion de sang dans la maison, soit qu'on se coupe accidentellement, soit qu'on y supprime des animaux.

Les biens immobiliers familiaux subissent des remaniements intempestifs et pas toujours nécessaires; démolir pour reconstruire n'est pas un gage de rentabilité.

Le risque d'une situation, d'un conflit, d'une rupture entraîne des disputes orageuses.

S'il est question de la mère de la consultante ou du père du consultant ce sont des contestataires, des réformateurs, jamais contents de leur sort, ni de leurs enfants.

En Maison V: Les enfants donnent du souci, leur comportement n'est pas sans danger. On peut craindre une fugue ou un incendie volontaire de leur part.

L'intéressé est sujet aux excès, aux plaisirs, comme ceux de la chair et de toute chose voluptueuse.

Les passions fulgurantes, les amours brutales, l'adultère sont des possibilités à envisager.

Les lieux d'amusement fréquentés sont tumultueux, les jeux sont bruyants, les activités désaxées.

L'aspect vestimentaire reflète le non-conformisme et le comportement est celui des insoumis exprimant dans une explosion des idées ou des passions non contenues.

Un enseignement, envisagé dans les conditions qui précèdent, ne peut être que contestataire, révolutionnaire avec tout ce que cela comporte: actions violentes et corruptions.

Quelles que soient les spéculations ou opérations financières, elles sont vouées à l'échec et entraîneront des pertes. S'il est question d'écrits, de propagande, ils sont subversifs.

En Maison VI: Un travail en rapport avec le fer est très indiqué, ainsi que tout ce qui touche au feu. Mais l'emploi actuel semble mal choisi, insatisfaisant, non motivant. L'intéressé n'a qu'une idée: changer de travail ou y apporter des modifications telles qu'il deviendrait différent (l'accord des éléments dira si cela est possible et les aspects montreront dans quelles conditions).

Un examen professionnel se déroulerait dans de mauvaises conditions, pour un résultat incertain; mieux vaut attendre.

Des études professionnelles pour se recycler ou étendre ses connaissances ne seraient pas couronnées de succès. Attendre.

L'esprit est au mécontentement, à la contestation. Dans ces conditions conflictuelles, une promotion n'est pas envisageable.

Dans le cas de serviteurs ou d'employés, le syndicalisme risque de faire des dégâts par de violentes réclamations.

Si le consultant s'intéresse à la santé, celle-ci est sous le signe des états inflammatoires: rhumatismes, congestions, fièvre (les accords des éléments donneront les modalités d'évaluation).

En Maison VII: Le partenaire est querelleur et désagréable, quand il n'est pas brutal.

S'il est question des associés dans une affaire, leur honnêteté reste à prouver, la corruption risque d'y fleurir.

Les adversaires éventuels sont violents, belliqueux.

Dans les affaires judiciaires, les procès, litiges, discussions sont tumultueux; les conclusions ou les jugements sont négatifs.

L'ambiance est aux causes perdues d'avance. Mieux vaut s'abstenir actuellement. Les gens avec qui on se querelle sont hargneux.

Il faut s'attendre à d'orageuses ruptures par suite de modifications inacceptables. Qu'il s'agisse d'un mariage, d'un travail ou d'une transaction.

Conflits conjugaux; scandale lié à un adultère.

En Maison VIII: Contestations dans le partage d'un héritage; disputes passionnées.

Étant donné la non-acceptation des conditions de vie, le questionneur peut songer à remettre en cause ses acquis. Pour cela, un grand chambardement est nécessaire et il serait assez motivé pour le réaliser.

Dans ce cas, ce changement ne se ferait pas en douceur et la patience contenue de l'intéressé se déchaînerait dans des décisions brutales.

Les biens du conjoint sont en danger de disparition.

Les biens d'une entreprise en difficulté risquent d'être vendus. Il y a des risques de destruction de ces biens par le feu.

Une grave maladie évoluant avec une très forte fièvre peut être guérie et engendrer une régénération cellulaire bienfaisante dans le domaine physique ou psychique.

Des titres de rente, pension, retraite peuvent être détruits par le feu.

En Maison IX: Emballement. On est «tout feu, tout flamme» pour un enseignement spirituel ou on s'engage dans un mouvement revendicatif, et on s'intéresse au syndicalisme.

On a tendance à supporter activement et avec fougue une politique activiste de revendications.

On conteste le Maître d'un enseignement et les rites pratiqués.

On refuse la nouvelle façon de dire la messe, on n'est pas d'accord sur la transmission de l'enseignement religieux; ses représentants sont discrédités.

Développement d'un fanatisme inquiétant.

Utiliser le chemin de fer pour un long voyage peut présenter un danger.

En Maison X: Réussite de la carrière dans les travaux en rapport avec le fer. Les constructions métalliques, les fabrications d'objets en métal, le commerce dans ce domaine sont très favorables et laissent espérer le succès.

Cependant, l'attitude d'insatisfaction du consultant, le fait de remettre tout en question, de changer pour recommencer est préjudiciable à une réussite; il s'en prendra à son destin en maugréant.

Le niveau de vie subit les fluctuations professionnelles et le crédit en est touché.

Il est cependant possible que se produise une élévation soudaine de situation, un vedettariat inattendu mais sans profit.

Étant donné les méthodes douteuses quelquefois employées pour arriver, la réputation risque d'en souffrir.

S'il est question d'une entreprise, son avenir est gêné par des conflits dans son exploitation concernant aussi bien les clients que le personnel.

Concernant les patrons, les chefs d'entreprises, ils sont enclins à vouloir effectuer des transformations brutales.

L'interprétation de la qualité d'un médecin indique qu'il est question d'un chirurgien ou qu'il aimerait cette spécialité.

La mère du consultant ou le père de la consultante seraient des personnes mécontentes de leur sort et de caractère agressif.

En Maison XI: Mésentente dans les relations amicales. Les amis sont des exaltés, qui expriment violemment leur mécontentement, leur insatisfaction.

Ce sont des gens qui pensent que le destin leur est défavorable et entretiennent cette pensée qui les révolte.

Les relations amicales se rencontrent particulièrement dans les mouvements sociaux et politiques dans lesquels on revendique.

L'aide ou les protections que l'on peut attendre résultent de moyens énergiques, de coups de force venant d'amis audacieux.

Le fanatisme n'est pas exclu de l'entourage.

Les réunions auxquelles on assiste sont houleuses, les bagarres y sont fréquentes.

Les projets que l'on forme sont téméraires et audacieux, mais ce n'est pas une raison pour qu'ils échouent.

Un examinateur représenté ici n'est pas intègre et peut se laisser corrompre.

Les espérances et les promesses risquent de s'envoler en fumée.

En Maison XII: Parmi les épreuves possibles, il y a celles occasionnées par le feu, le fer et le sang.

Par le feu et la chaleur, ce sont les fièvres, les brûlures, la mauvaise circulation sanguine, l'incendie et la foudre.

Par le fer, ce sont les coupures ou accidents par les outils tranchants, les objets métalliques, la circulation sur des ponts métalliques, en chemin de fer.

Par le sang, ce sont les transfusions qui peuvent inoculer des maladies; un accident avec hémorragie; une congestion à la suite d'un refroidissement.

Interventions policières ou judiciaires pour tapage, obstruction, disputes, violences, coups et blessures.

Condamnations.

Tristitia

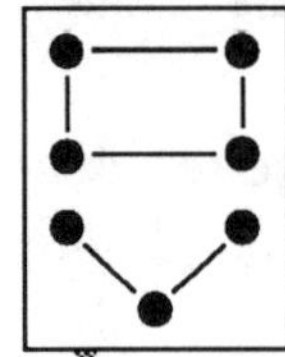

Figure: Terre, fixe, entrante.

Symbolisme: Un puits. La descente. La chute.

En Maison I: Découragement. Chute de vitalité. Pertes d'énergies, neurasthénie. Introversion. Cristallisation sur soi-même. Pessimisme. Dépression physique et morale. Apathie.

Adaptation lente à tout ce qui est entrepris.

Indifférence à l'entourage. C'est le bilan que l'on peut établir pour l'intéressé.

Il peut s'attendre à une chute, à une descente, aussi bien dans le matériel que dans le moral.

C'est une mauvaise passe qu'il faut savoir traverser en se rappelant qu'«après la pluie vient le beau temps».

En Maison II: Les gains diminuent dangereusement, avec pour conséquence des soucis d'argent.

L'argent se fait de plus en plus rare.

Les dépenses s'amenuisent en conséquence et obligent à des restrictions qui troublent beaucoup le moral.

Manque de ressources faisant vraiment craindre le pire.

Menace de ruine dans des opérations et combinaisons néfastes.

Diminution de salaire angoissante.

Diminution des récoltes et de la fertilité des terres pour les agriculteurs.

Possibilité de chute des cours de la bourse et de la rentabilité des titres.

Le rapport des loyers locatifs est en baisse, ainsi que les comptes en banque.

Aucune confiance actuellement dans les valeurs et tractations financières de l'intéressé.

En Maison III: Les relations avec les frères et sœurs et les proches se dégradent. Les rencontres entre eux se raréfient.

La solitude prend le dessus en raison de la diminution des rencontres. Les déplacements, les petits voyages sont de moins en moins nombreux, et sont même pénibles.

Il peut y avoir une démarche motivée par un décès ou une perte d'argent.

Les facultés intellectuelles diminuent; malgré tout, on est enclin à s'engager dans des études demandant beaucoup de réflexion et de connaissance de soi.

S'agissant de la qualité d'un enseignement, son intérêt décroît; dans une école on perd des élèves. L'éducation fait défaut.

La vente d'un livre est en chute libre; sa réédition n'est pas certaine.

Il y a restriction des moyens d'expression, vieillissement des méthodes.

Diminution du chiffre d'affaires dans une entreprise par immobilisme de celle-ci.

En Maison IV: Foyer sans joie, sombre et morose.

Manque de contacts entre les membres de la famille.

Enracinement dans les principes, dans l'esprit de famille et dans les lieux.

Manque d'évolution, laiser-aller déprimant.

La résidence, isolée, bien assise et solide, reste à l'abandon.

Les bâtisses familiales vieillissent, risquent d'être inoccupées, les terres sont négligées et en friche.

Le but de la vie est délaissé.

La fin d'une affaire, ce peut être de la vie, se passe dans la tristesse et la dépression.

S'il est question de la mère de la consultante ou du père du consultant, ils sont probablement assez âgés, mais ils paraissent surtout plus vieux que leur âge.

En Maison V: Il y a risque de perte d'un enfant d'une façon ou d'une autre: fugue, perte de sentiments, départ du foyer pour raisons de santé, pour services sociaux, en vue du mariage, etc.

Inhibition du questionneur, manque d'entrain; fuit les distractions, les loisirs et les lieux où l'on s'amuse. Il renonce à l'amour.

Solitude sentimentale. Stérilité. Dépérissement.

Perte au jeu. Aspect extérieur vestimentaire négligé.

Au repos, on s'isole, on reste dans l'ombre.

En cas de grossesse, il y a risque d'avortement.

S'il est question d'une école ou d'un enseignement, ils sont dévalorisés et vont vers leur fin.

Les investissements et les opérations financières risquent d'être désastreux.

Une œuvre qui serait en gestation s'affaiblit et disparaît.

En Maison VI: Le travail est fatigant avec beaucoup de pertes d'énergies. Il est déprimant et peut conduire à la maladie.

Ralentissement d'efficacité, contrainte dans le travail.

Enracinement, cristallisation des méthodes.

Hostilité du milieu ou repli sur soi. Possibilité d'échec.

Vieillissement des moyens de production.

Manque d'entretien des lieux de travail.

Inquiétude sur la durée de l'emploi.

Esprit de recherche dans les modalités des travaux.

Concernant l'état de santé, il faut penser aux maladies de langueur, aux affections sournoises, à la dépression physique et morale, au vieillissement prématuré (tenir compte des accords entre les éléments).

L'action des remèdes ou d'un traitement perd progressivement son efficacité.

En Maison VII: S'il est question de mariage, il est possible que ce soit avec une personne plus âgée ou veuve, plutôt triste et de santé précaire.

Le conjoint est en perte d'énergies, actuellement pessimiste.

Dans une affaire judiciaire, c'est la perte d'un procès. C'est la fin des litiges, luttes et querelles.

On ne voit plus les gens avec lesquels on est en procès.

La foi conjugale diminue, la fidélité aussi. Mais s'il est question de rupture, de séparation ou de divorce, les probabilités de réalisation diminuent.

Le symbolisme de *Tristitia* est chute, descente. C'est une figure négative. Elle indique un refus d'adaptation aux différents domaines.

En ce qui concerne les contrats de toute sorte: mariage, travail, vente, achat, location, c'est la fin, la non-reconduction, la non-réalisation.

En Maison VIII: Il est question d'un changement d'importance dans l'existence, soit de l'intéressé, soit d'une affaire, soit d'une entreprise.

Toute transformation commence par une destruction.

Dans le présent cas, cette première étape se passe lentement, calmement, enterrant le passé.

La deuxième étape, la remontée, la reconstruction est pénible et difficile.

Concernant une entreprise, la valeur de ses biens diminue, elle dépérit et risque la disparition.

Il en est de même en ce qui concerne les biens matrimoniaux ou successoraux.

S'il est question de maladie, sa gravité diminue, les peines et les craintes également (le sommeil aussi): application du symbolisme de la figure.

Le montant des pensions et des retraites descend dangereusement.

Les obstacles diminuent d'intensité.

En Maison IX: Aucun rôle social n'est envisageable. C'est le repli sur soi. S'il y a un rayonnement, c'est intérieurement. Cet état de choses conduit aux idées sombres, au pessimisme, à l'indifférence pour les pensées élevées.

Aucune largeur de vues, mais une étroitesse d'esprit et un scepticisme à toute épreuve.

On rumine, on broie du noir, on cultive la rancune.

Aucun intérêt pour la spiritualité, seulement pour ce qui est matériel.

Les longs voyages sont compromis; ils se terminent plus tôt que prévu. Ils ne sont pas bénéfiques et ne peuvent qu'apporter fatigue et mélancolie.

En Maison X: Situation sociale ébranlée; insuccès dans la carrière.

Chute de prestige, diminution du train de vie.

Vulnérabilité de la position sociale. Dépréciation de la carrière. La profession disparaît insensiblement.

Manque d'ambition professionnelle.

Ralentissement du crédit pouvant tomber à zéro.

Réalisation professionnelle négative.

Les patrons et les employeurs sont pessimistes, fatalistes.

L'entreprise périclite et va vers son déclin.

La situation d'une personnalité éminente est vulnérable.

S'il est question de dépeindre la qualité professionnelle d'un médecin, on dira que ses moyens sont diminués, qu'ils se cristallisent sans espoir de renouvellement.

Pour la mère du questionneur ou le père de la consultante, ils apparaissent comme des personnes vieillies avant l'âge et pessimistes.

En Maison XI: Il y a privation d'amitiés. Les amis se raréfient.

Il y a contrainte dans les relations amicales, et ces relations se composent souvent de personnes âgées qui n'apportent pas la joie.

Il est difficile de compter sur les protections et l'aide espérée est restrictive.

La confiance que l'on peut avoir dans les amis et ce qu'ils peuvent apporter disparaît progressivement.

On n'assiste plus aux réunions parce qu'elles manquent d'intérêt.

Les démarches n'ont pas le succès escompté.

Un examinateur représenté par cette figure pourrait être exigeant et aller au fond des questions-réponses ou alors il est dépressif et vieillissant.

Ne pas compter sur les promesses qui ne seront probablement pas tenues.

Les espoirs et les choses souhaitées tombent à l'eau.

En Maison XII: Le symbolisme de cette figure indique en général des épreuves dans le sens de la descente, de la chute et de la fin des choses.

On retient la diminution du nombre et de la gravité des accidents, de certaines maladies et des contraintes.

Les ennemis sont moins nombreux, moins puissants et perdent leur agressivité.

Les dettes diminuent, ainsi que les engagements astreignants.

Une intoxication s'enlise, mais un envoûtement est possible.

Si la question concerne précisément les énergies, la résistance immunitaire, physique ou psychique, il y a diminution et perte.

À noter que la réponse est toujours en rapport avec la question.

Via

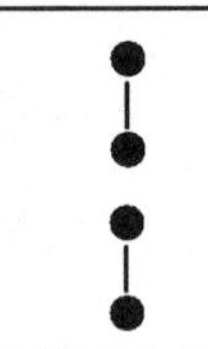

Figure: Feu, commune, sortante.

Symbolisme: Le départ, la route. Les choses inorganisées. La mutation.

En Maison I: Tout bouge par étapes, par secousses successives.

Activité mentale et physique. Idées et projets se succèdent.

Les désirs d'avancer dans les différents domaines sont manifestés mais l'esprit est indécis, capricieux, étourdi, sans ténacité; on ne sait pas sur quel pied danser.

On flotte. On va à la recherche. Le nouveau attire et entraîne des transformations incessantes.

On s'illusionne dans des efforts à répétition et sans résultat apparent.

En Maison II: Les gains sont modestes et à répétition; d'où des difficultés pécuniaires.

Désillusion dans les rentrées d'argent même si elles miroitent à l'horizon.

Instabilité dans les rentrées d'argent, salaires, profits divers.

Petits bénéfices qui se répètent.

Situation financière floue.

Flottement dans le bilan des recettes et dépenses d'une entreprise.

Nombreuses petites dépenses qui font une grande rivière.

Petites mises, petits investissements et rapports non élaborés.

Actions, titres de faible importance.

En Maison III: Réunion des frères et sœurs. Courts contacts et rencontres rapides et mouvementées.

Nombreux petits déplacements.

Ouverture vers de nouveaux horizons.

Changement fréquent des moyens de transport.

Nombreux arrêts dans les déplacements, et nombreux changements de destination.

Études interrompues.

Développement par étapes des obstacles intellectuels.

Courrier retardé.

Difficulté d'élocution. Bégaiement.

Aucune affaire concrète en vue.

Conversations, tractations sans but et sans fin.

En Maison IV: Départ du foyer. Changement de résidence.

Séparation des membres de la famille.

Déménagement graduel. Éloignement de la famille.

Morcellement des biens familiaux.

Changement, mutation possible dans les biens familiaux.

Éloignement moral ou physique des membres de la famille.

Indétermination des sentiments familiaux.

En voyage, on s'arrête dans des lieux achalandés, comme des hôtels.

La fin d'une situation, d'une affaire, de la vie s'éternise sans qu'on puisse savoir quand elle se terminera.

La mère de la consultante ou le père du consultant sont représentés comme des personnes se déplaçant au gré de leur fantaisie, ou encore comme des animateurs.

En Maison V: On pense aux soucis que les enfants peuvent apporter.

L'indécision flotte dans le choix des distractions.

On est capricieux dans la nourriture.

Instabilité des amours; amours équivoques.

Une rencontre peut changer le cours de la vie du consultant, peut-être est-ce le retour d'un être aimé.

Démarches amoureuses en vue. Recherche de l'âme sœur.

On joue, mais de petites sommes.

Aspect vestimentaire extravagant, excentrique parfois.

Grossesse possible.

S'il y a une création, elle est vouée à l'oubli.

Constant déplacement dans les lieux de vacances.

Études fragmentées. Enseignement par correspondance.

École en plein air.

On craint les investissements importants.

On spécule coup par coup, avec prudence et réflexion.

En Maison VI: Emploi modeste. Travail à la pige. Travail artisanal, méthodique et lent.

Travail itinérant.

Fuite des responsabilités.

On entreprend un travail. Travaux de recherches.

Voie pouvant mener au succès si excellente harmonie entre les éléments, et à condition de ne pas vouloir tout, tout de suite. Attendre pour prendre une décision.

Travail entraînant une nouvelle spécialité.

Travail en rapport avec les moyens de communication, peut-être davantage avec les chemins de fer.

Connaissances professionnelles fragmentées.

Instabilité du personnel salarié.

Instabilité de l'état de santé. Maladies à répétition.

Chronicité.

Personnel soignant instable.

En Maison VII: Instabilité du conjoint et déplacements fréquents.

Ruptures et réconciliations conjugales. Petits moyens financiers du partenaire. Inconstance dans ses affections.

Transfert de pouvoirs dans une entreprise.

Signature de contrats de location, d'emploi, de voyage, etc.

Retards multiples dans des procédures judiciaires.

Querelles à répétition.

Contestations qui n'en finissent pas.

Pourparlers constamment interrompus.

Contrat remis en question.

Accord poussé ou retardé.

Difficultés à conclure un contrat, une union ou un mariage.

Chicanes. Déplacement pour conclure un engagement.

Pourparlers inutiles.

En Maison VIII: Remise en question du mode de vie, suggérée par des recherches spirituelles ou des communications médiumniques.

Mutation de l'existence du consultant par étapes psychologiques.

Désir d'animation, d'aide à des personnes marginales en vue de leur réadaptation.

Possibilité de se tirer d'une mauvaise affaire, mais seulement par étapes successives. Exemple: maladie grave, faillite, engagement catastrophique, etc.

Les biens du conjoint ou d'une société risquent de s'effriter.

Des craintes, des peines vont disparaître insensiblement.

Le sommeil est entrecoupé de cauchemars.

Il peut être question d'échanger, de transformer des titres de pension ou de rentes.

Maigre héritage. Démarches occasionnées par un deuil.

En Maison IX: Développement des dons psychiques.

Désir de s'engager dans l'étude des lois de l'esprit et de faire des recherches dans ce sens.

Aspirations spirituelles. Philosophie changeante.

Les connaissances en général sont plutôt superficielles et détachées des réalités matérielles.

Empirisme.

Tendance à rêver et à ne pas avoir les pieds sur terre.

Le départ pour un long voyage se trouve retardé.

Difficultés à accéder à l'étude correcte des langues étrangères.

Hésitation à contacter les étrangers. Rancune.

Imagination active.

En Maison X: L'atteinte du but se fera par étapes successives. Le destin est imprévisible, il se déroule par bonds successifs.

La situation sociale n'est obtenue qu'avec beaucoup d'efforts inlassablement répétés.

La carrière est instable et subit de fréquents changements. Dans ces conditions, on ne sait pas où elle va.

Mutation professionnelle? Le niveau de vie comporte des hauts et des bas. Les ambitions se modulent au gré des circonstances mouvantes.

Le crédit, tant moral que financier, subit des fluctuations, mais monte en général.

La destinée d'une entreprise est alternativement en bonne et en mauvaise position. Mais grâce à des efforts et à des investissements, on la remet sur pied.

Instabilité dans la direction d'une affaire avec de fréquents changements de directeurs.

S'il est question de la qualité d'un médecin, celui-ci se révèle incapable de prendre une décision.

En ce qui concerne la mère du consultant ou le père de la consultante, on peut dire qu'ils ont une vie désorganisée, perpétuellement remise en question et qu'ils se déplacent souvent au gré de leur fantaisie.

En Maison XI: Pas de grands amis importants, mais des amitiés instables, peu profondes. On ne s'attache pas aux amis qui se succèdent à bonne cadence.

Les profits, l'intérêt qu'on peut en attendre sont minimes.

Les secours et appuis dont on pourrait avoir besoin arriveraient au compte-gouttes.

On trouve peu d'intérêt dans les réunions, c'est pourquoi on est toujours à la recherche de celle qui peut apporter quelque chose d'évolutif.

La réalisation des projets est difficile. On ne se fatigue pas d'en faire de nouveaux avec l'espoir de les voir réussir.

Il faut répéter la démarche qu'on envisage pour atteindre éventuellement son but.

Un examinateur représenté ici aurait des connaissances superficielles.

En Maison XII: Départ, mutation, inorganisation sont des facteurs d'épreuves.

Le symbolisme de cette figure apporte confiance et patience dans les ennuis et épreuves qui sont subies.

La guérison d'une maladie est en vue.

Les conséquences d'un accident disparaissent et tout rentre dans l'ordre.

Les difficultés d'une affaire s'atténuent.

Les dettes qu'on a se règlent par des moyens financiers imprévus.

Les discordes, les mésententes familiales comme les problèmes professionnels se résolvent.

Dans de mauvaises récoltes, la qualité remplace la quantité.

L'indemnité perçue pour un incendie permet d'avoir mieux.

Cette figure fait apprécier le côté positif des épreuves.

LES PASSATIONS: trois exemples

Les passations sont des facteurs très importants dans l'interprétation d'un thème géomantique.

Si le thème en comporte en certain nombre, c'est l'indication qu'un enchaînement de circonstances peut entraîner une cascade de combinaisons ou de transformations.

La passation est un élément qui établit une relation entre les Maisons concernées par le passage d'une même figure.

La figure «voyageuse» entraîne avec elle l'imprégnation de la Maison d'où elle vient.

Lorsqu'elle traverse différentes Maisons, elle se «charge» en plus des éléments en affinité avec ce qu'elle représente et les diffuse sur son passage, de sorte qu'une Maison est enrichie par une passation.

C'est la possibilité de connaître la ou les causes d'une situation ou d'un effet en remontant à la source. On peut également juger les effets d'un événement en suivant le chemin que prend la figure passante.

Si la figure est favorable, elle véhicule les bons côtés de la Maison d'où elle vient, et les Maisons traversées seront valorisées par les fruits de chacune d'elles.

Si elle est défavorable, elle drainera avec elle les côtés négatifs qu'elle diffusera sur son passage.

La passation est un courant qui circule à travers le thème.

Étudier chaque figure passant dans chacune des Maisons puis se reflétant plusieurs fois à travers le thème exigerait un ouvrage énorme.

Nous nous bornerons à présenter quelques exemples pour concrétiser l'enchaînement des situations à travers les passations.

Exemple 1

La figure *Populus* (Terre) se trouve en Maison I, case 3 (Air), dans un thème influenciel.

L'intéressé est une personne inconstante, aux idées brouillonnes, extrêmement mobile, à tendance matérialiste.

Elle avance en aveugle, prend des engagements à la légère, influencée par l'opinion publique, attirée par le monde.

En case 3, cette figure de Terre se trouve dans l'élément Air, ce qui atténue ses caractères négatifs de dispersion (puisque les éléments en présence ne s'accordent pas).

Passant, par exemple, en:

Maison II, case 4 (Feu): *Populus* est en disharmonie. Conséquence: petits gains variables, petites dépenses, incohérence des projets financiers, regroupement hâtif des activités pécuniaires, difficultés en ce qui a trait à l'argent.

Raison: *Populus* apporte la cause de cet état, cause reliée au caractère de l'intéressé.

Maison IV, case 6 (Eau): Le caractère instable, brouillon du consultant perturbe l'atmosphère familiale, y sème un désordre d'autant plus grave qu'il n'y a aucun équilibre financier. (Étant donné la complémentarité des éléments en présence, les caractères de *Populus* sont amplifiés.)

Maison X, case 12 (Feu): L'intéressé est très populaire et sa situation sociale y est pour beaucoup...

Il est désavantagé par une situation financière précaire qui lui cause des soucis familiaux. Cependant, cette situation n'est pas catastrophique (les éléments en présence sont contraires: Terre-Feu).

Exemple 2

La figure *Amissio* (Eau) se trouve en Maison I, case Terre, passe en Maison IV, case Feu.

L'intéressé est présenté comme une personne en perte d'énergies dans tous les domaines (Eau-Terre). Cette perte doit être atténuée dans son interprétation en Maison IV, étant donné le désaccord des éléments en présence (Eau-Feu).

Passant, par exemple, en:

Maison IV, case 4 (Feu): Elle apporte dans la vie familiale une ambiance de restrictions en toute chose (voir Qualités d'*Amissio*) en raison du caractère et du comportement de l'intéressé.

C'est lui qui en est la cause et personne d'autre. Cette situation est relativement acceptable, étant donné l'atténuation du comportement de l'intéressé (incompatibilité des éléments en présence: *Amissio* Eau-Feu).

Maison XI, case 2 (Eau): Cette figure annonce des amis et des recommandations peu sûrs, ainsi que des projets remis en question.

La cause de cet état de choses réside dans le comportement de l'intéressé qui traîne avec lui des soucis familiaux.

Exemple 3

Supposons le thème suivant:

Question: Est-il bon pour moi de vendre ma résidence?

Maison de la question: Maison VII = transaction.

Secondairement: Maison IV = résidence.

Maison I, *Acquisitio*, case 4 (Feu): *Acquisitio* (Air)

Le questionneur est une personne qui a de belles qualités, une bonne assimilation. Il est avide de connaissances, il est ambitieux, intelligent, prévoyant, etc. (voir les qualités de cette figure). Toutes ces belles qualités sont très développées (éléments en présence Air-Feu en accord).

Maison VII, *Puella*, case 10 (Eau): *Puella* (Eau)

Une transaction est favorable (*Puella* + Eau-Eau), probablement avec une femme (*Puella*) qui discutera avec le propriétaire, questionneur, (*Acquisitio* - Air-Eau = désaccord).

Maison IV, *Carcer*, case 7 (Air): *Carcer* (Eau)

La résidence est d'accès difficile, peu agréable, un peu isolée (*Carcer*: Eau en case d'Air est mal à l'aise pour manifester ses aspects; ils sont donc atténués). Cependant, cette résidence plaît à l'acquéreur (*Carcer*: Eau compatible avec *Puella* (Eau)); ce qui est positif pour la transaction.

Maison II, *Tristitia*, case 5 (Terre): *Tristitia* (Terre)

Il faudra baisser le prix demandé (*Tristitia* Terre, chute facilement en case de Terre).

Maison V, *Rubeus*, case 8 (Feu): *Rubeus* (Terre)

Mauvaise opération financière.

Supposons les passations suivantes:

***Acquisitio* (Air), de Maison I passe en:**

Maison VI, case 9 (Terre): Une amélioration dans le travail est possible (Air-Terre n'est pas en accord et ne permet pas d'envisager plus d'une amélioration).

Puis en:

Maison XI, case 2 (Eau): De nombreux projets sont possibles, ainsi qu'un développement des relations amicales; cela grâce à l'amélioration du travail.

Et qu'en plus:

Puella (Eau), de Maison VII passe en:

Maison VIII, case 11 (Air): Indique que la transaction apporterait une transformation favorable dans l'existence du consultant.

Maison XII, case 3 (Air): La vente de la résidence, entraînant un grand changement dans la vie de la conjointe (*Puella* = femme venant de la Maison VII = la conjointe), sera une épreuve pour elle. Cette dernière la supportera bien (atténuée par le désaccord des éléments en présence – Eau – de *Puella* avec Air de la case XII, on dira: supportera assez bien).

Réponse: Il est bon pour le questionneur de vendre sa résidence. Mais pour réaliser cette vente, il lui faudra baisser le prix demandé, probablement à cause d'un mauvais accès à la résidence qui peut être, pour l'acquéreur, un prétexte pour en discuter le prix.

Cette vente risque de mécontenter les enfants.

Elle ne sera pas une bonne opération financière. Cependant, il y a la possibilité d'une amélioration professionnelle qui permettrait de faire des projets et d'augmenter le cercle des relations amicales; cela est dans l'air!

La conjointe serait peinée de quitter cette demeure, mais elle s'en consolerait assez facilement.

LES INTERPRÉTATIONS

Réflexions sur le thème géomantique

La maîtrise de la pratique géomantique nous a amenés à concevoir et à comprendre que le temps de fiabilité d'une interprétation est variable. Nous avions déjà remarqué que l'exactitude d'une situation paraissait être en fonction des activités du sujet.

C'est ainsi que pour une personne menant une vie professionnelle et familiale calme, sereine, sans grands à-coups, l'interprétation d'un thème dans ces conditions changera très peu; il sera valable pour autant que le rythme de vie de l'intéressé ne change pas et cela peut durer douze mois.

Par contre, pour celui qui baigne dans une vie mouvementée, au milieu de complications et d'intrigues changeant presque chaque jour, l'interprétation devra suivre le même rythme; elle devra donc être faite pour une très courte durée afin de rendre compte le plus exactement possible des événements; d'où la nécessité de poser une question en précisant la fourchette de temps.

On peut envisager l'image de notre plan de vie comme le déroulement d'un film dont chaque cliché reflète tous nos actes et tout notre environnement. Celui qui a accès à ces images voit celles du moment, puis peut reculer ou avancer de quelques clichés et suivre le déroulement d'une situation. Ceci est possible en intrapsychisme.

En Géomancie, c'est une fraction plus ou moins longue de ce film qui se projette dans les figures symboliques. Il ne peut donc s'agir que d'une interprétation statique, figée qu'il est possible de faire, et pour un temps donné. On comprend alors que l'exactitude des réponses dépend de deux critères: le rythme de vie du consultant et le nombre de clichés enregistrés.

Lorsqu'on émet une question pour avoir une réponse, on détache un morceau du plan de vie actuel, lequel tombe dans les jets qui s'inscrivent en figures symboliques. Dans le thème qui en découle, on peut suivre le fil conducteur menant à toutes les situations en rapport avec la question-réponse.

L'intéressé a sous les yeux le chapitre du Grand Livre de sa destinée qu'il est en train de vivre. Il est donc logique qu'il puisse y rechercher n'importe quel aspect d'un fait quelconque intervenant dans son environnement.

Ce n'est donc pas l'avenir qu'on voit dans cette portion de vie, mais les événements qui se déroulent présentement, dont on n'a souvent pas conscience, et qui vont faire cet avenir.

Exemples d'interprétations générales

Les sept exemples étudiés seront complétés dans le chapitre *Maisons dérivées* et dans *Figures complémentaires*.

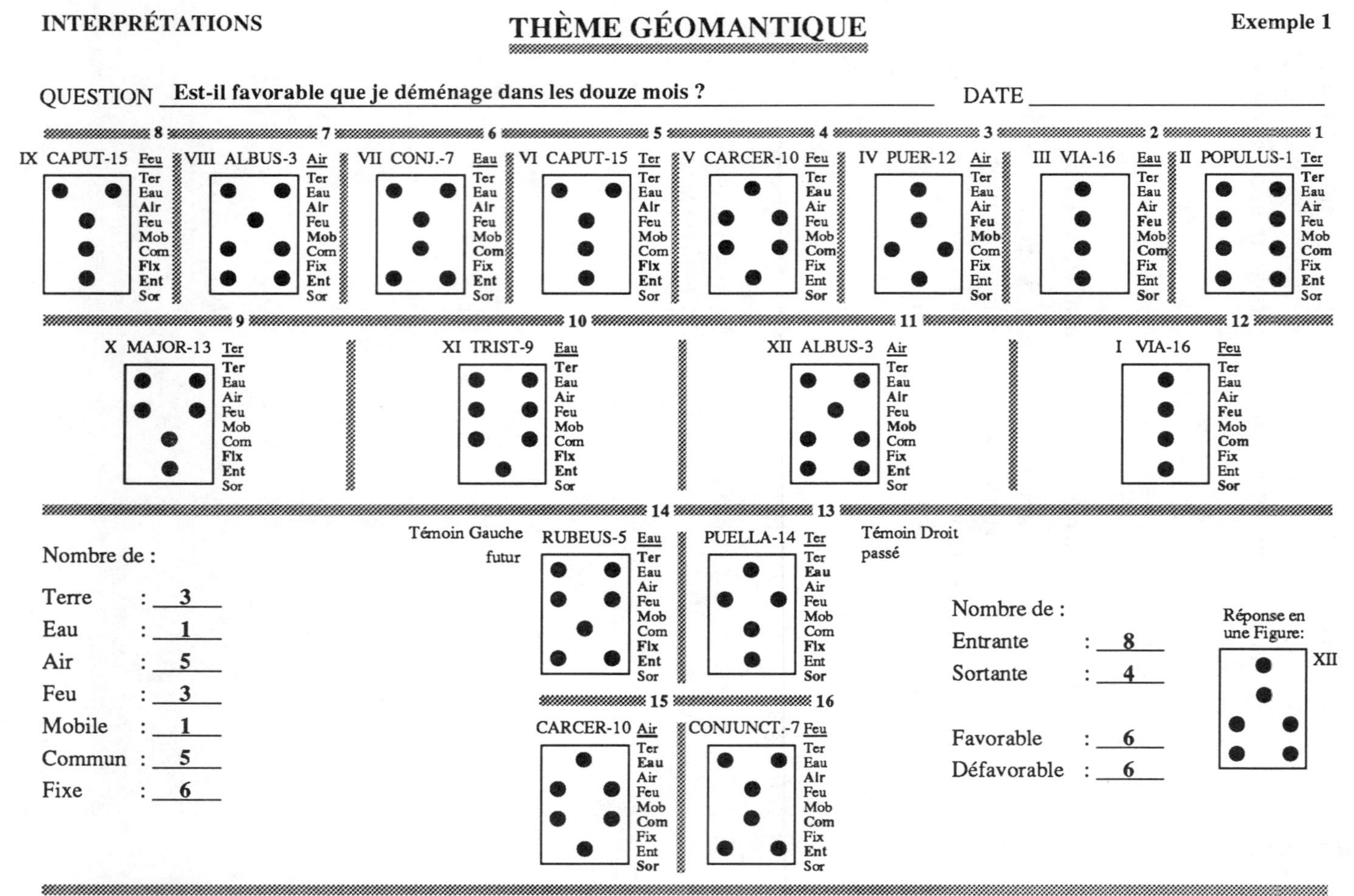

INTERPRÉTATIONS
THÈME GÉOMANTIQUE
Exemple 1
QUESTION Est-il favorable que je déménage dans les douze mois ?
DATE
IX CAPUT-15 Feu
VIII ALBUS-3 Air
VII CONJ.-7 Eau
VI CAPUT-15 Ter
V CARCER-10 Feu
IV PUER-12 Air
III VIA-16 Eau
II POPULUS-1 Ter
X MAJOR-13 Ter
XI TRIST-9 Eau
XII ALBUS-3 Air
I VIA-16 Feu
Ter Eau Air Feu Mob Com Fix Ent Sor
Témoin Gauche futur
RUBEUS-5 Eau
PUELLA-14 Ter
Témoin Droit passé
CARCER-10 Air
CONJUNCT.-7 Feu
Nombre de :
Terre : 3
Eau : 1
Air : 5
Feu : 3
Mobile : 1
Commun : 5
Fixe : 6
Nombre de :
Entrante : 8
Sortante : 4
Favorable : 6
Défavorable : 6
Réponse en une Figure:
XII

Exemple 1

Consultant: Monsieur X, 50 ans, sans enfant, enseignant; il est locataire d'un appartement tout confort et aimerait acheter une maison unifamiliale.

Question: Est-il favorable que je déménage dans les douze prochains mois? Maison III.

Réponse en une seule figure:
Fortuna Minor = à remettre en question.

En Maison XII: serait une épreuve.

Réponse détaillée: dans le thème suivant.

Étudions d'abord l'état d'esprit actuel du consultant (1). Il est actif (2) avec des idées qui se succèdent dans différents domaines. Il est indécis, capricieux, fait de nombreux efforts pour avancer, mais sans succès apparent (3).

Son souci actuellement est son déménagement (4), lequel n'est pas favorable (5).

Ses finances ne sont pas stables, ses gains sont variables et des prévisions à long terme sont hasardeuses (6). Et cet état de choses ne promet pas de changement bientôt (7).

S'il désire déménager, c'est que l'ambiance de son foyer est désagréable (8) et qu'il y éclate souvent des querelles (9).

Il semble que la cause de la mésentente dans son foyer soit le blocage d'un investissement, ce qui l'empêche de disposer de l'argent nécessaire pour satisfaire son désir d'acquérir une maison (10).

1. Via en Maison I.
2. Figure de Feu en case de Feu.
3. Figure sortante.
4. Passation de Via, de Maison I en Maison III.
5. Via, figure de Feu en case d'Eau, en compagnie de Puer en Maison IV.
6. Populus en Maison II, figure de Terre en case de Terre.
7. Populus = figure entrante.
8. Puer en Maison IV.
9. Puer, figure de Feu en case d'Air.
10. Carcer en Maison V.

(*Carcer*, Maison V, en carré avec sa Maison II confirme cette situation; et c'est dans son travail intellectuel qu'il peut s'en sortir (*Caput*, Maison VI, est en trigone avec sa Maison II).

Cependant, cette situation ne saurait durer longtemps (11).

La présence de la Part de Fortune dans cette Maison indique que c'est une chance pour lui de ne pas disposer de son argent. Le moment n'est probablement pas propice pour faire un bon achat.

C'est donc un projet qui tombe à l'eau actuellement (12).

Sa femme est une personne pratique, intelligente (13), aux idées réalisatrices; elle est favorable au déménagement (14).

Pourquoi désire-t-elle cette transformation que provoquerait un déménagement (15)?; cela apporterait dans son foyer le calme auquel elle aspire (16, 17).

En ce qui concerne le projet de déménagement, il apparaît comme une perte d'énergies (18) assez sérieuse (19) pour le consultant.

Cette perte pourrait bien se répercuter sur sa carrière (20) et cela serait déplorable, car elle est une réussite (21).

Cette situation enviable est causée par une femme (23).

Toujours dans l'esprit de la question, examinons l'attitude du Juge (24) vis-à-vis du consultant.

11. Carcer, figure d'Eau en Maison de Feu et de plus sortante.
12. Carcer en Maison V est en affinité avec la case 10, où il y a la Maison XI = projet avec Tristitia = chute certaine: Terre-Eau; et bien «enterré», car figure entrante.
13. Conjunctio en Maison VII.
14. Conjunctio en trigone avec la Maison III = déménagement.
15. Conjunctio en compagnie d'Albus en Maison VIII.
16. Albus, figure d'Air en case d'Air.
17. Albus en affinité avec la case 3 où se trouve la Maison IV.
18. Tristitia en Maison XI.
19. Tristitia, figure de Terre en case d'Eau.
20. Tristitia en affinité avec la case 9 où se trouve sa Maison X.
21. Fortuna Major en Maison X.
22. Fortuna Major en affinité avec la case 13 = le passé.
23. Puella en case 13.
24. Carcer en case 15.

Il lui dit «non» du bout des lèvres, ce n'est pas favorable de déménager actuellement (25).

Du reste, vous ne le pouvez pas, car vos fonds sont heureusement bloqués (26); considérez que c'est un projet qui s'enlise (27).

La Sentence confirme l'opinion du Juge et prévoit même des difficultés importantes dans la réalisation de la question (28).

Ces prévisions sont bien en rapport avec le grand changement qu'occasionnerait un déménagement (29). Ce n'est donc pas une mutation souhaitable en ce moment.

Le consultant comprend et accepte d'attendre des jours plus favorables (30).

25. Carcer, figure d'Eau en case d'Air.
26. Carcer en case 15 vient de la Maison V = passation.
27. Carcer en affinité avec la case 10 où se trouve la Maison XI et Tristitia.
28. Conjunctio en case 16; figure d'Air en case de Feu.
29. Conjunctio en affinité avec la case 7 où se trouve sa Maison VIII.
30. Conjunctio, figure d'Air en case 16 de Feu est très favorable. Comme elle est née partiellement du consultant, elle est bien en rapport avec lui.

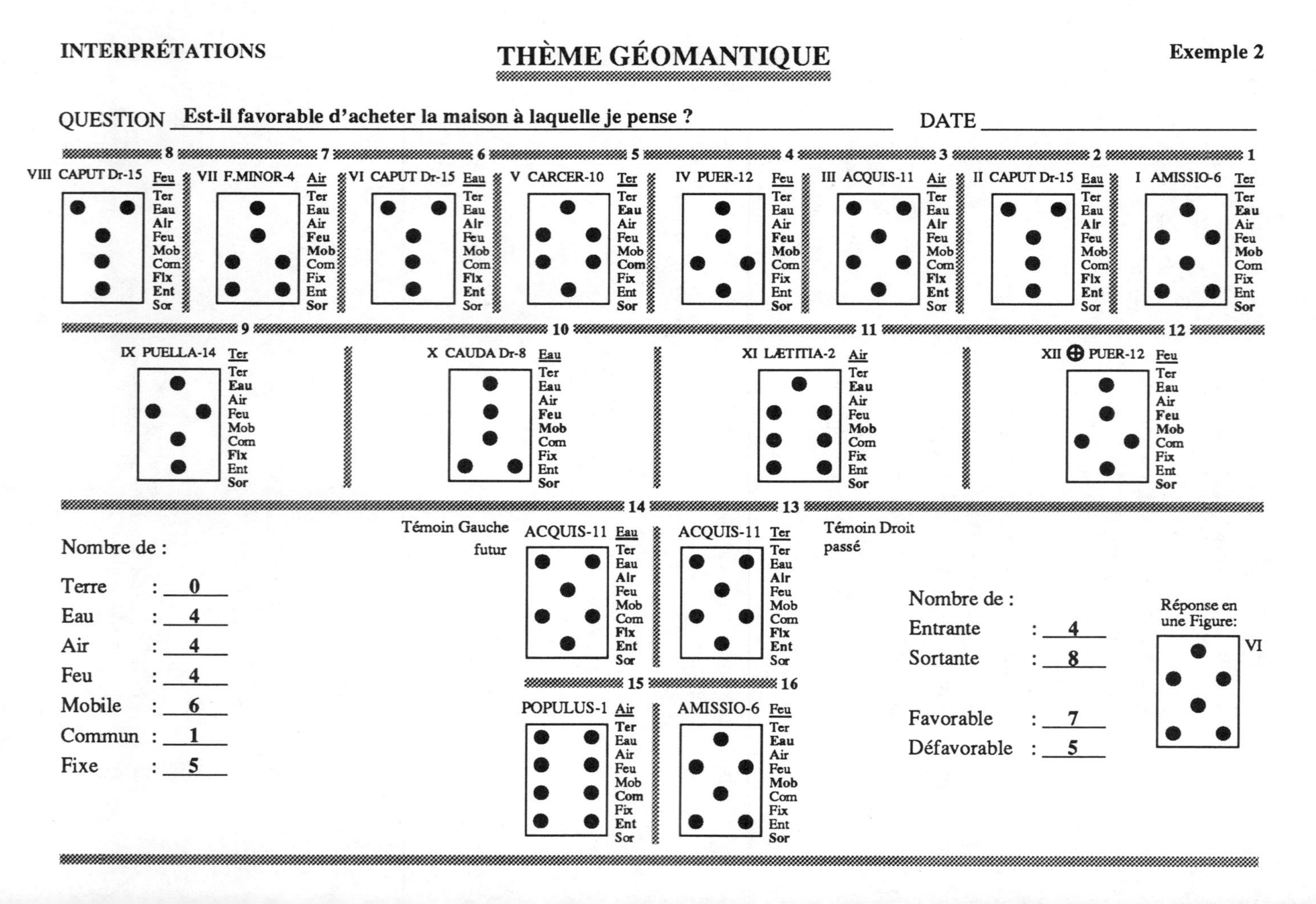
INTERPRÉTATIONS
THÈME GÉOMANTIQUE
Exemple 2
QUESTION Est-il favorable d'acheter la maison à laquelle je pense ?
DATE
8 7 6 5 4 3 2 1
VIII CAPUT Dr-15 Feu
VII F.MINOR-4 Air
VI CAPUT Dr-15 Eau
V CARCER-10 Ter
IV PUER-12 Feu
III ACQUIS-11 Air
II CAPUT Dr-15 Eau
I AMISSIO-6 Ter
Ter Eau Air Feu Mob Com Fix Ent Sor
9 10 11 12
IX PUELLA-14 Ter
X CAUDA Dr-8 Eau
XI LÆTITIA-2 Air
XII ⊕ PUER-12 Feu
14 13
Témoin Gauche futur
ACQUIS-11 Eau
ACQUIS-11 Ter
Témoin Droit passé
15 16
POPULUS-1 Air
AMISSIO-6 Feu
Nombre de :
Terre : 0
Eau : 4
Air : 4
Feu : 4
Mobile : 6
Commun : 1
Fixe : 5
Nombre de :
Entrante : 4
Sortante : 8
Favorable : 7
Défavorable : 5
Réponse en une Figure:
VI

Exemple 2

Consultante: Madame X, divorcée, sans enfant, 60 ans, s'occupe d'une petite représentation; elle est locataire d'un appartement.

Question: Est-il favorable d'acheter maintenant la maison à laquelle je pense? Maisons VII et IV.

Réponse en une seule figure: *Amissio*: «non»; Maison VI: concernant le travail ou la santé.

Réponse détaillée circonstanciée: dans le thème suivant.

La consultante est actuellement en perte d'énergie et découragée, elle se laisse aller (1).

Son état d'esprit est la conséquence de son impossibilité, dans sa solitude, d'exprimer et de satisfaire son tempérament, ses besoins physiques, matériels et instinctifs (*Puer* en Maison IV est en carré avec sa Maison I). La réalisation de son investissement améliorerait son moral (*Carcer* en Maison V est en trigone avec sa Maison I).

La transaction en tant que telle est bénéfique, mais elle demande à la consultante d'exercer son flair, car la période est aux fluctuations (2) importantes (3) et rapides (4).

Cette ambiance d'importantes variations imprévisibles concerne les maisons, leur valeur bien sûr (5).

La maison convoitée est une maison à problèmes; travaux mal faits, vices cachés (6)?, de mauvaise construction (7).

Acheter cette maison serait une erreur, qui mènerait à subir de gros dommages (8).

La Part de Fortune met en garde contre le mauvais état de l'achat (9).

1. Amissio en Maison I, Eau-Terre.
2. Fortuna Minor en Maison VII.
3. Fortuna Minor (Feu), en case 7 (Air).
4. Figure mobile.
5. Fortuna Minor originaire de la case 4, dans laquelle se trouve la Maison IV.
6. Puer en Maison IV, Feu-Feu.
7. Puer mobile et sortante.
8. Puer originaire de la case 12, dans laquelle se trouve la Maison XII. De plus, Puer passe de la Maison IV en Maison XII. Elle apporte confirmation des épreuves qu'elle comporte. Encore Feu-Feu!
9. Part de Fortune en Maison XII.

Les gains de la consultante progressent (10), lentement (11) et par petites sommes imprévues (12).

Acheter une maison est un investissement. Nous voyons que dans ce contexte, il n'est pas possible de le réaliser; il y a blocage (13). Et c'est même une impossibilité très nette (14).

Il est même indiqué que cette impossibilité de faire l'investissement en question est lié au crédit de la consultante (15); crédit qui n'est pas nécessairement bon (16), mais non catastrophique (17).

Il y a espoir que ce crédit s'améliore (18), même très nettement (19).

L'idée d'acquérir une maison est un bon projet (20), réalisable (21), lorsque son salaire augmentera (22).

C'est dans l'avenir que cette acquisition sera possible (23), dans un nouveau projet (24).

Actuellement, son travail est convenable, et a même tendance à augmenter (25), lentement (26), dans la stabilité (27).

En ce moment, la consultante n'est pas inactive. Elle cherche et se remue (28). Et cela est favorable (29).

10. Caput en Maison II.
11. Caput (Air) en case 2 (Eau).
12. Caput originaire de case 15 occupée par Populus (Terre-Air).
13. Carcer en Maison V.
14. Carcer, figure d'Eau en case 5 (Terre).
15. Carcer originaire de case 10, occupée par la Maison X.
16. Cauda Draconis en Maison X.
17. Cauda Draconis (Feu) dans case 10 (Eau); le côté négatif de Cauda Draconis est atténué.
18. Cauda Draconis originaire de case 8, occupée par la Maison VIII.
19. Caput (Air) en case 8 (Feu).
20. Lætitia en Maison XI.
21. Lætitia = mobile, sortante.
22. Lætitia originaire de case 2, occupée par sa Maison II, avec Caput.
23. Témoin gauche = avenir avec Acquisitio.
24. Acquisitio en rapport avec la case 11, occupée par sa Maison XI.
25. Caput en Maison VI.
26. Caput (Air) en case 6 (Eau).
27. Caput, fixe, entrante = bien ancré.
28. Majorité de figures mobiles et sortantes.
29. Majorité de figures favorables.

Réponse: Il n'est pas favorable d'acheter la maison que cette dame a en vue; on sait pour quelles raisons.

On voit qu'elle ne se décourage pas, elle tient à son idée et elle cherche.

Le thème dit qu'elle formera un autre projet dans l'avenir, une autre maison l'intéressera, mais lorsque son crédit sera amélioré. Elle pourra alors contracter un emprunt pour financer le solde de l'achat.

Ce processus est dans l'air avec l'amélioration de ses gains et peut-être une période plus calme dans les variations des prix des maisons.

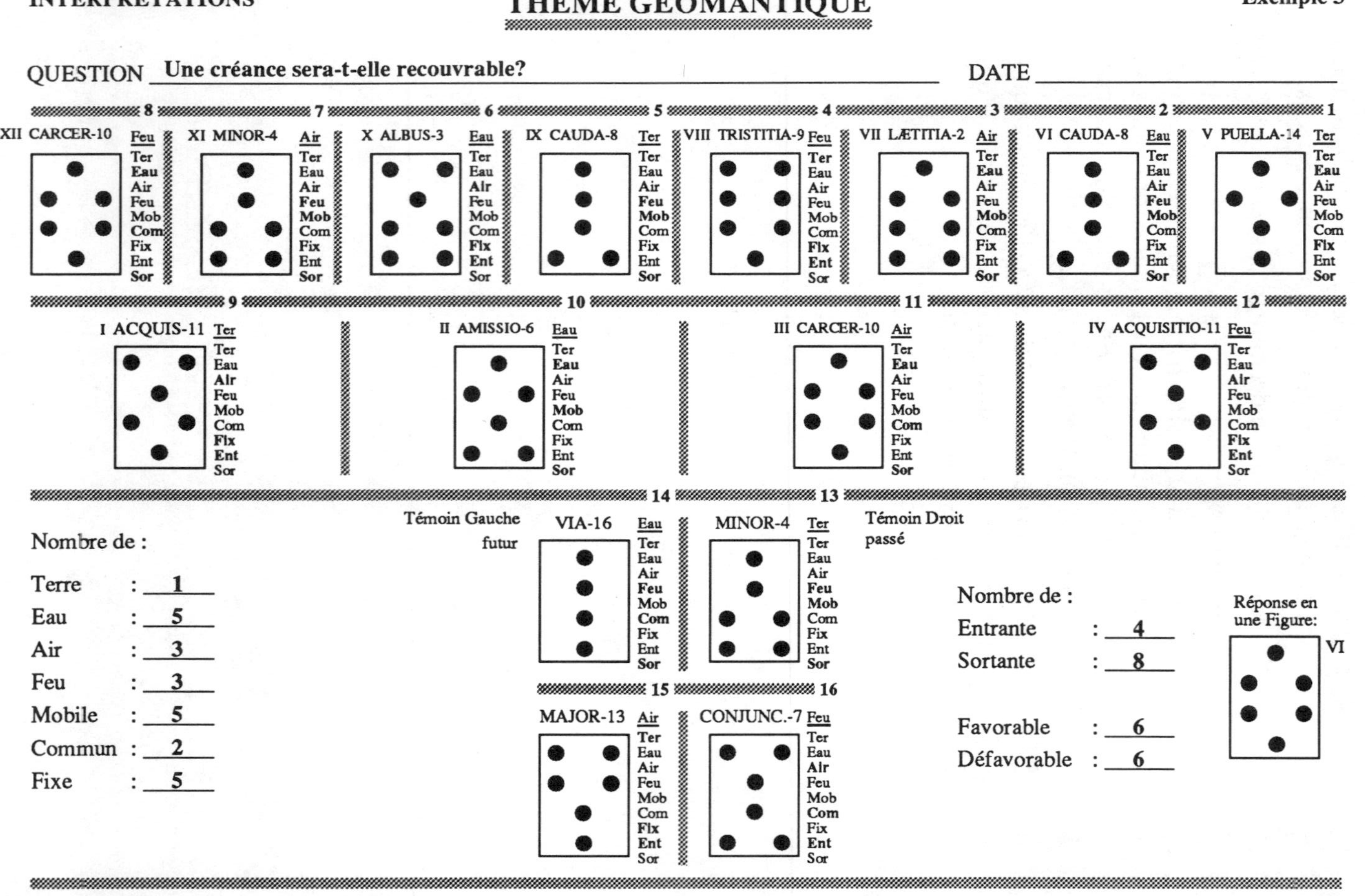
INTERPRÉTATIONS
THÈME GÉOMANTIQUE
Exemple 3
QUESTION Une créance sera-t-elle recouvrable?
DATE
8 7 6 5 4 3 2 1
XII CARCER-10 Feu
XI MINOR-4 Air
X ALBUS-3 Eau
IX CAUDA-8 Ter
VIII TRISTITIA-9 Feu
VII LÆTITIA-2 Air
VI CAUDA-8 Eau
V PUELLA-14 Ter
Ter Eau Air Feu Mob Com Fix Ent Sor
9 10 11 12
I ACQUIS-11 Ter
II AMISSIO-6 Eau
III CARCER-10 Air
IV ACQUISITIO-11 Feu
14 13
Témoin Gauche futur
VIA-16 Eau
MINOR-4 Ter
Témoin Droit passé
15 16
MAJOR-13 Air
CONJUNC.-7 Feu
Nombre de :
Terre : 1
Eau : 5
Air : 3
Feu : 3
Mobile : 5
Commun : 2
Fixe : 5
Nombre de :
Entrante : 4
Sortante : 8
Favorable : 6
Défavorable : 6
Réponse en une Figure:
VI

Exemple 3

Consultant: Monsieur X, 40 ans, deux enfants. Propriétaire. Homme d'affaires; il a investi de l'argent dans une compagnie.

Question: Ma créance est-elle recouvrable bientôt? Questionneur = Maison I; Créance = Maison II; Débiteur = Maison VII.

Réponse en une seule figure: *Carcer*: pas de sitôt, bloquée.

Maison VI: dans le travail.

Réponse détaillée circonstanciée: dans le thème suivant.

Le questionneur est une personne qui aime et qui sait recevoir, et il réussit très bien ce qu'il entreprend. Il est ouvert aux recherches, avide de connaissances, a une bonne mémoire, un esprit progressiste et ambitieux (1).

Sa créance est en mauvaise posture; elle est à l'image d'un sac qui se vide (2).

Cette perte de valeur risque de s'accentuer (3).

Il apparaît que cet investissement est fait dans une compagnie dans laquelle il a des intérêts professionnels (4).

Situation professionnelle dans laquelle il a un bon crédit (5).

Son contrat de participation (6) a été pris dans une compagnie en croissance (7) modeste (8) et instable (9).

Ce frein dans l'élan de la croissance de cette compagnie est probablement causé par un manque d'efficacité des employés (10) instables (11) et modérément énergiques (12).

1. Acquisitio en Maison I:
   Air = intelligence;
   Fixe = stable;
   Entrante = tenace.
2. Amissio en Maison II.
3. Amissio (Eau) en case 10 (Eau).
4. Amissio vient de la case 6, dans laquelle se trouve sa Maison X.
5. Albus en Maison X.
6. Albus originaire de la case 3 dans laquelle se situe sa Maison VII.
7. Lætitia en Maison VII.
8. Lætitia (Eau) en case 3 (Air).
9. Lætitia, mobile et sortante.
10. Lætitia vient de la case 2, occupée par la Maison VI avec Cauda Draconis.
11. Cauda Draconis, mobile et sortante.

Le questionneur a une chance de redresser la situation de cette compagnie (13) par quelques projets énergiques (14), entraînant une transformation importante (15) dans laquelle il devra s'engager personnellement (16).

Comme il est «chanceux» (17), il doit réussir.

Au départ, cet investissement paraissait favorable, mais délicat (18) ce que confirme *Puella* en Maison V, qui est en carré avec sa Maison II, d'un avenir incertain (19) qui pourrait apporter ennuis et obstacles.

Le passé du questionneur a été une succession de réussites de courte durée (20), semées de bouleversements (21).

Cela n'a pas empêché le Juge d'être optimiste (22), relativement (23) et la Sentence dit oui à son jugement.

Cette sentence tient compte d'une action de conciliation (24).

On voit que cette décision du Juge est en rapport avec les projets de redressements envisagés, dont il a été question (25).

12. Cauda Draconis (Feu) en case 2 (Eau).
13. Part de Fortune en Maison XI avec Fortuna Minor.
14. Fortuna Minor en case 7 (Air).
15. Fortuna Minor originaire de la case 4, soit sa Maison VIII.
16. Tristitia en Maison VIII est en rapport avec la case 9 dans laquelle se trouve sa Maison I.
17. Avec Acquisitio!
18. Puella en Maison V:

    Eau-Terre.
19. Puella originaire de la case 14 = l'avenir avec Via.
20. Fortuna Minor, Témoin droit.
21. Fortuna Minor en case 13, est en rapport avec la case 4, soit sa Maison VIII.
22. Fortuna Major en case 15.
23. Fortuna Major (Terre) en case 15 (Air).
24. Conjunctio.
25. Conjunctio est en rapport avec la case 7, c'est-à-dire la Maison XI et la Part de Fortune, dont nous avons vu la signification.

Réponse: La récupération de la créance est possible, quoique, actuellement, elle soit elle-même compromise, on a vu pour quelle raison.

Si le consultant veut récupérer son argent, il devra s'engager personnellement dans un redressement indispensable de la situation de la compagnie.

THÈME GÉOMANTIQUE

Exemple 4

QUESTION Est-il favorable pour Mme X de prendre comme associé M. Y, 41 ans, comptable DATE ____________

8 7 6 5 4 3 2 1

IV VIA-16 Feu
Ter Eau Air Feu Mob Com Fix Ent Sor

III MAJOR-13 Air
Ter Eau Air Feu Mob Com Fix Ent Sor

II CARCER-10 Eau
Ter Eau Air Feu Mob Com Fix Ent Sor

I PUELLA-14 Ter
Ter Eau Air Feu Mob Com Fix Ent Sor

XII VIA-16 Feu
Ter Eau Air Feu Mob Com Fix Ent Sor

XI PUELLA-14 Air
Ter Eau Air Feu Mob Com Fix Ent Sor

X TRISTITIA-9 Eau
Ter Eau Air Feu Mob Com Fix Ent Sor

IX PUER-12 Ter
Ter Eau Air Feu Mob Com Fix Ent Sor

9 10 11 12

V MINOR-4 Ter
Ter Eau Air Feu Mob Com Fix Ent Sor

VI RUBEUS-5 Eau
Ter Eau Air Feu Mob Com Fix Ent Sor

VII ALBUS-3 Air
Ter Eau Air Feu Mob Com Fix Ent Sor

VIII MINOR-4 Feu
Ter Eau Air Feu Mob Com Fix Ent Sor

14 13

Témoin Gauche
futur

CAUDA-8 Eau
Ter Eau Air Feu Mob Com Fix Ent Sor

LÆTITIA-2 Ter
Ter Eau Air Feu Mob Com Fix Ent Sor

Témoin Droit
passé

15 16

CONJUNC.-7 Air
Ter Eau Air Feu Mob Com Fix Ent Sor

PUER-12 Feu
Ter Eau Air Feu Mob Com Fix Ent Sor

Nombre de :

Terre : 3
Eau : 3
Air : 1
Feu : 5
Mobile : 4
Commun : 3
Fixe : 5

Nombre de :

Entrante : 4
Sortante : 8

Favorable : 5
Défavorable : 7

Réponse en une Figure: IV

Exemple 4

Consultante: Madame X, 48 ans, mariée, deux enfants, possède un commerce de tissus.

Question: Est-il favorable pour elle de prendre comme associé Monsieur Y, 41 ans, comptable?

Consultante = Maison I; Associé = Maison VII.

Réponse en une seule figure: *Puer*: Non; gaspillage d'énergie; coup de tête; action irréfléchie.

Maison IV = ce serait la fin.

Réponse détaillée circonstanciée: dans le thème suivant.

Madame X est une personne calme, douce, compréhensive, sachant peser le pour et le contre. Par l'entremise de sa grâce et de sa courtoisie, elle se fait aimer de son entourage (1).

Actuellement, elle n'est cependant pas optimiste, elle redoute un échec (2) dans le déroulement d'une éventuelle association (3), qui risque de fonctionner indéfiniment par à-coups.

Voilà dans quel état d'esprit elle se trouve en ce moment, ce qui motive sa démarche géomantique.

Elle a un pressentiment de négativité, elle veut lever le doute (4).

Et il semble bien que son pressentiment soit confirmé.

Étudions maintenant son éventuel associé sur lequel la Part de Fortune attire notre attention (5).

Cet homme est très valable et possède de nombreuses qualités. Il est habile, a le sens

1. Puella en Maison I: Eau-Terre.
2. Puella est en rapport avec la case 14, Témoin gauche de l'avenir, occupée par Cauda Draconis.
3. Cauda Draconis vient de la case 8, en Maison IV, qui est ici la fin des choses: Feu-Feu.
4. Via, figure négative ici en Maison IV est en liaison avec la case 16: la Sentence et Puer (Feu) dans case de Feu!
5. Part de Fortune en Maison VII.

pratique, démontre beaucoup d'initiative; il est intelligent et débrouillard (6).

Examinons s'il y a harmonie ou complémentarité entre ces deux personnes par combinaison des figures géomantiques qui les représentent. Le résultat montre qu'il y aurait mésentente, par manque d'unité de vues (7).

Monsieur Y est gêné par le fait que la situation professionnelle de Madame X soit en mauvaise posture, et décline (8); par contre, le projet lui plairait (9).

On voit que la profession de la consultante est en chute (10) rapide (11) sans grand espoir de redressement (12) et elle en est responsable (*Puella*, Maison I est en carré avec sa Maison X = trop de sentiments en affaires).

Regardons les gains de Madame X; ils sont bloqués et ne peuvent pas progresser (13).

Cette situation vient d'un travail inadapté qu'elle ne peut plus supporter (14), et il s'agit bien de son occupation personnelle et non de celle d'un autre (15).

Madame X pourrait-elle faire quelque chose pour changer sa mauvaise condition financière? Oui (16) et même avec un certain succès (17) et aussi avec des efforts répétés (18); ce qui caractérise la figure *Fortuna Minor*.

Pour arriver à ce résultat, il lui faudrait remanier complètement son commerce, déménager (19), changer le lieu de son commerce.

6. Albus en Maison VII: Air-Air.
7. Addition géomantique de Puella en Maison I et d'Albus en Maison VII = Via.
8. Maison de Madame X est en carré avec la Maison VII de l'associé.
9. Albus, l'associé, vient de la case 3 = bon projet, Maison XI avec Puella.
10. Tristitia en Maison X.
11. Tristitia (Terre) en case 2 (Eau).
12. Tristitia, fixe et entrante.
13. Carcer en Maison II, Eau-Eau.
14. Carcer originaire de case 10, c'est-à-dire Maison VII, occupée par Rubeus: Terre-Eau.
15. Rubeus vient de la case 5, soit sa Maison I.
16. Fortuna Minor en Maison VIII.
17. Fortuna Minor (Feu) en case 12 (Feu).
18. Fortuna Minor, figure mobile et sortante.
19. Fortuna Minor en Maison VIII est originaire de la case 4 en Maison XII, occupée par Via.

L'emplacement actuel limite ses possibilités d'activités; c'est un endroit calme, sans grand mouvement de personnes.

Qu'elle examine cette possibilité qui lui est offerte et qui peut la sortir de son marasme (20), mais avec difficultés (21).

Le Juge dit: Association possible (*Conjunctio* Air-Air).

Ce n'est pas la collaboration du comptable Monsieur Y qui peut améliorer la situation telle qu'elle est; du reste, il n'est pas très emballé, connaissant l'état financier (22).

20. Via en Maison XII, figure de Feu, en case de Feu, sortante, est un déménagement.
21. Via originaire de la case 15, où se trouve la Sentence et Puer qui dit: difficultés (Feu-Feu).
22. Pour connaître son opinion, couplons géomantiquement la Maison VII avec le projet en Maison XI = Via, aspect négatif.

Réponse: Que Madame X supprime la cause de cette mauvaise situation financière et matérielle en faisant ce qui lui est permis et qu'elle connaît maintenant, alors le problème d'association pourra se poser à nouveau. Monsieur Y, qui n'est pas opposé au projet, n'aura pas à renflouer un bateau qui va à la dérive.

En consultant le Témoin gauche de l'avenir, on constate qu'un échec serait à prévoir, dans l'état actuel des choses.

THÈME GÉOMANTIQUE

Exemple 5

QUESTION Quel sort est réservé à la démarche que va faire Mme X à un ami dans le but d'une demande d'emploi ?

DATE ______

8 — XI VIA-16 Feu
Ter Eau Air Feu Mob Com Fix Ent Sor

7 — X TRISTITA-9 Air
Ter Eau Air Feu Mob Com Fix Ent Sor

6 — IX CAUDA-8 Eau
Ter Eau Air Feu Mob Com Fix Ent Sor

5 — VIII CONJUNC.-7 Ter
Ter Eau Air Feu Mob Com Fix Ent Sor

4 — VII MAJOR-13 Feu
Ter Eau Air Feu Mob Com Fix Ent Sor

3 — VI PUER-12 Air
Ter Eau Air Feu Mob Com Fix Ent Sor

2 — ⊕ V PUER-12 Eau
Ter Eau Air Feu Mob Com Fix Ent Sor

1 — IV ACQUIS-11 Ter
Ter Eau Air Feu Mob Com Fix Ent Sor

9 — XII CAUDA-8 Ter
Ter Eau Air Feu Mob Com Fix Ent Sor

10 — I LÆTITIA-2 Eau
Ter Eau Air Feu Mob Com Fix Ent Sor

11 — II CAUDA-8 Air
Ter Eau Air Feu Mob Com Fix Ent Sor

12 — III LÆTITIA-2 Feu
Ter Eau Air Feu Mob Com Fix Ent Sor

14 — Témoin Gauche futur — CONJUNC.-7 Eau
Ter Eau Air Feu Mob Com Fix Ent Sor

13 — CONJUNC.-7 Ter — Témoin Droit passé
Ter Eau Air Feu Mob Com Fix Ent Sor

15 — POPULUS-1 Air
Ter Eau Air Feu Mob Com Fix Ent Sor

16 — LÆTITIA-2 Feu
Ter Eau Air Feu Mob Com Fix Ent Sor

Nombre de :

Terre	:	2
Eau	:	2
Air	:	2
Feu	:	6
Mobile	:	7
Commun	:	2
Fixe	:	3

Nombre de :

Entrante	:	4
Sortante	:	8
Favorable	:	5
Défavorable	:	7

Réponse en une Figure: VI

Exemple 5

Consultante: Madame X, 40 ans, sans enfant, vit avec un amant. Ses parents sont toujours en vie.

Question: Quel est le sort réservé à l'emploi qu'elle a l'intention de demander à un ami?

Consultante = Maison I; ami = Maison XI; contact = Maison III; emploi = Maison VI; issue = Maison IV.

Réponse en une seule figure: *Cauda Draconis*: Les moyens matériels vont faire défaut. Maison VI = à cause du travail qui prend une mauvaise direction.

Réponse détaillée circonstanciée: dans le thème suivant.

La consultante est confiante dans la demande qu'elle va entreprendre. Elle pense que l'ami qu'elle va contacter est aussi altruiste et généreux qu'elle-même (1).

Elle est donc confiante dans la démarche qu'elle va effectuer, et pense que tous les espoirs lui sont permis (2).

Sans aller plus loin, on peut voir qu'elle est influencée par son amant (3), homme impulsif et volontaire (4).

L'ami qu'elle va rencontrer est une personne chaleureuse (5), peu fidèle dans ses amitiés; c'est comme un papillon qui se pose de fleur en fleur. Les appuis et les secours qu'on peut en attendre arrivent au compte-gouttes.

Examinons la démarche en elle-même. Elle est prometteuse de succès (6), mais pas à cent pour cent (7).

Probablement sera-t-il nécessaire de la renouveler (8).

1. Lætitia en Maison I.
2. Lætitia (Eau) en case 10 (Eau).
3. Lætitia originaire de la case 2, sa Maison V.
4. Puer en Maison V.
5. Via (Feu) en case 8 (Feu).
6. Lætitia en Maison III = communication.
7. Lætitia (Eau) en case 12 (Feu).
8. Lætitia, figure mobile et sortante.

Cela serait conforme au caractère de l'ami qui est d'humeur capricieuse (9), mais toujours dans le bons sens (10).

L'ami voit la démarche de Madame X avec sympathie (11).

Quant au contrat de travail possible, il serait avantageux (12), quoique d'une façon relative (13), mais stable (14).

Il serait proposé en tenant compte des connaissances acquises, de l'expérience positive du passé de la requérante (15).

En ce qui concerne le futur travail (16), il demanderait beaucoup d'activités et d'énergies (17). Il exigerait une grande disponibilité (18) et pas mal de déplacements (19), qui seraient agréables (20).

Ces conditions de travail seraient-elles acceptables par le conjoint et amant? Il y aura là un problème à résoudre, car cette personne a des besoins physiques à satisfaire (21), et de fréquentes séparations ne sont pas pour lui plaire. Son esprit de domination l'inciterait à suivre sa compagne (22).

Il aime la vie active et verrait d'un bon œil cette situation qu'il pourrait même favoriser (23).

Si la consultante avait des enfants, ce genre de travail ne lui serait pas possible.

Actuellement, sa situation financière est dans une mauvaise passe (24); on peut même la dire critique (25).

Sur ce plan, elle peut s'en sortir et cette éventualité est envisageable (26) grâce à l'appui de l'ami qu'elle doit contacter.

9. Via.
10. Via vient de la case 16, occupée par Lætitia.
11. La passation de Lætitia de Maison I = Madame X en Maison III = la démarche, puis en Sentence.
12. Fortuna Major.
13. Fortuna Major, Terre-Feu.
14. Fortuna Major, figure fixe et entrante.
15. Fortuna Major vient de la case 13, Témoin droit du passé avec Conjonctio.
16. Puer en Maison VI.
17. Puer (Feu) en case 3 (Air), sa Maison VI.
18. Puer, figure mobile.
19. Puer vient de la case 12, soit sa Maison III.
20. Lætitia en Maison III.
21. Puer.
22. Puer en Maison V en rapport avec la case 12, soit sa Maison III.
23. Puer en Maison V est en compagnie de Puer en Maison VI.
24. Cauda Draconis en Maison II.
25. Cauda Draconis en Maison II, figure de Feu en case 11 (Air).
26. Cauda Draconis originaire de case 8, soit sa Maison XI.

Malgré sa réticence (27), après quelques remises en cause causées par son tempérament, l'ami se décidera (28) à satisfaire la demande de Madame X (29). C'est ce qui est indiqué dans la Sentence (attention: opinion changeante!).

Par l'utilisation des Maisons dérivées (qui seront étudiées dans une deuxième partie), on verra que son travail sera un succès sur le plan financier.

On peut préciser que sa mauvaise situation financière est causée par sa relation amoureuse (30) et bien sûr, elle peut l'améliorer par le travail demandé (31).

En fait, on peut voir que les bons résultats de la démarche sont liés à un passé honorable et positif (32).

Bien sûr, ces résultats seront la conséquence d'une rencontre fructueuse (33) malgré quelques difficultés à prévoir (34) concernant sa classe sociale (35), qui est en baisse (36).

27. Via en Maison XI.
28. Via, figure de Feu en case 8 (Feu).
29. Via est en rapport avec la case 16, occupée par Lætitia, la Sentence!.
30. Cauda Draconis en Maison II est en carré avec Puer en Maison V = l'amant.
31. Cauda Draconis en Maison II est en trigone avec Puer en Maison VI.
32. Conjunctio, Témoin droit: le passé.
33. Conjunctio, Témoin gauche: l'avenir.
34. Conjunctio (Air) en case 14 (Eau).
35. Conjunctio est en rapport avec la case 7, c'est-à-dire Maison X.
36. Tristitia en Maison X.

Réponse: On peut penser que Madame X aura satisfaction auprès de l'ami sollicité, mais pas à la première visite.

Qu'un contrat de travail lui sera proposé. Celui-ci exigera d'elle beaucoup d'énergie au cours de déplacements agréables, probablement en compagnie de son amant, et ce travail sera rémunérateur (par Maisons dérivées).

La finalité de ses démarches se résume par un accroissement de gains. *Acquisitio* en Maison IV (la fin des choses) vient de la case 11, sa Maison II.

La Part de Fortune indique qu'en fait, elle a la chance d'avoir son amant, tel qu'il est: homme d'action, malgré ses défauts, dont elle s'accommode.

Nous pensons avoir suffisamment de renseignements: il n'est donc pas utile d'aller plus loin dans nos recherches.

INTERPRÉTATIONS

THÈME GÉOMANTIQUE

Exemple 6

QUESTION Est-il favorable que M. X signe le contrat de travail que lui propose la compagnie Y?

DATE ______

8 — XI MINOR-4 — Feu — Ter Eau Air Feu Mob Com Fix Ent Sor

7 — X CONJUNC.-7 — Air — Ter Eau Air Feu Mob Com Fix Ent Sor

6 — IX CAUDA-8 — Eau — Ter Eau Air Feu Mob Com Fix Ent Sor

5 — VIII RUBEUS-5 — Ter — Ter Eau Air Feu Mob Com Fix Ent Sor

4 — VII POPULUS-1 — Feu — Ter Eau Air Feu Mob Com Fix Ent Sor

3 — VI CAUDA-8 — Air — Ter Eau Air Feu Mob Com Fix Ent Sor

2 — V CAPUT-15 — Eau — Ter Eau Air Feu Mob Com Fix Ent Sor

1 — IV ACQUIS-11 — Ter — Ter Eau Air Feu Mob Com Fix Ent Sor

9 — XII AMISSIO-6 — Ter — Ter Eau Air Feu Mob Com Fix Ent Sor

10 — I MINOR-4 — Eau — Ter Eau Air Feu Mob Com Fix Ent Sor

11 — ⊕ II CAUDA-8 — Air — Ter Eau Air Feu Mob Com Fix Ent Sor

12 — III RUBEUS-5 — Feu — Ter Eau Air Feu Mob Com Fix Ent Sor

14 — Témoin Gauche futur — CONJUNC.-7 — Eau — Ter Eau Air Feu Mob Com Fix Ent Sor

13 — Témoin Droit passé — MINOR-4 — Ter — Ter Eau Air Feu Mob Com Fix Ent Sor

15 — AMISSIO-6 — Air — Ter Eau Air Feu Mob Com Fix Ent Sor

16 — CONJUNC.7 — Feu — Ter Eau Air Feu Mob Com Fix Ent Sor

Nombre de :

Terre : 3

Eau : 1

Air : 3

Feu : 5

Mobile : 8

Commun : 2

Fixe : 2

Nombre de :

Entrante : 6

Sortante : 6

Favorable : 5

Défavorable : 7

Réponse en une Figure: VIII

Exemple 6

Consultant: Monsieur X, marié, trois enfants, directeur des ventes.

Question: Est-il favorable que Monsieur X signe le contrat de travail que lui propose la compagnie Y?

Consultant = Maison I; contrat = Maison VII; compagnie = Maison X.

Réponse en une seule figure: *Carcer*, Maison VIII: Important changement remis en question, impossible présentement.

Réponse détaillée circonstanciée: dans le thème suivant.

Monsieur X, le questionneur, est une personne qui remet toute chose en question; c'est un instable. Il a le désir d'arriver coûte que coûte et ne se lasse pas de recommencer. Ce qu'il atteint ne dure pas longtemps, mais il amasse chaque fois des connaissances et de nouvelles expériences (1).

Mais actuellement, il se calme; il «met de l'eau dans son vin» (2), sans cesser de bouger (3), tout en sachant ce qu'il veut.

Il pense au contrat qu'on lui propose (4).

Ce contrat ne l'emballe pas trop (5), bien qu'il lui assurerait une certaine stabilité (6).

Les conditions à remplir sont nombreuses et mal définies (7), avec des promesses verbales (8) qui risquent de ne pas être tenues. Cela est important, car il s'agit de gains d'argent (9).

Il est à remarquer que les gains actuels de Monsieur X sont dans une période de régression (10) rapide (11).

1. Fortuna Minor en Maison I.
2. Fortuna Minor (Feu) en case 10 (Eau).
3. Fortuna Minor, figure mobile et sortante.
4. Fortuna Minor vient de la case 4, où se trouve sa Maison VII.
5. Populus (Terre) en case 4 (Feu).
6. Populus, figure entrante, stable, ancrée.
7. Populus en Maison VII.
8. Populus originaire de case 1 avec Acquisitio (Air) en Terre, en Maison IV, qui est l'issue des choses.
9. Acquisitio est en rapport avec la case 11, occupée par la Maison II = gains.
10. Cauda Draconis en Maison II.
11. Cauda Draconis (Feu) en case 11 (Air).

Cette situation le pousse à faire des projets pour s'en sortir (12).

Ces projets louvoient sans direction précise et à courte vue (13), malgré les nombreux contrats sollicités (14).

La Part de Fortune attire notre attention sur l'urgence de régler son problème d'argent qui devient fondamental (15) et sur le fait qu'il n'a pas de temps à perdre pour faire des démarches et trouver un travail, même de courte durée (16).

Quelle est la situation financière de la compagnie qui lui propose ce contrat?

Il semble qu'elle soit bonne, sérieuse et équilibrée (17).

Si Monsieur X accepte le contrat dont il est question, pourra-t-il s'entendre avec ce nouveau patron? Cela n'est pas certain et il lui faudra s'adapter (18).

Cependant, il pourra accepter ce contrat malgré son imprécision (19), sachant le manque de stabilité qu'il comporte, et l'acceptant.

Cela le dépannerait pour un moment, car on a vu que sa situation financière ne lui permet plus d'attendre.

Cette situation précaire n'est pas pour le démoraliser, car il l'a déjà connue dans le passé (20) et il a toujours confiance d'arriver à son but (21).

C'est son travail actuel qui est la cause de la chute de ses gains (22), et cela affecte son moral (23).Et comment améliorer son travail? En développant ses relations sociales (*Conjunctio*, Maison X, trigone

12. Cauda Draconis originaire de la case 8, soit Maison XI.
13. Fortuna Minor en Maison XI.
14. Fortuna Minor originaire de la case 4, avec Populus en Maison VII.
15. La Part de Fortune en Maison II, avec Cauda Draconis (Feu-Air).
16. Cauda Draconis vient de la case 8, soit la Maison XI = démarches, avec Fortuna Minor = bénéfique de courte durée. Feu-Feu = urgence.
17. Conjonctio en Maison X, Air-Air.
18. Couplage géomantique de Maison I, Fortuna Minor, avec Maison X, Conjunctio = Amissio!
19. Couplage géomantique de Maison I, Fortuna Minor, avec son contrat Maison VII, Populus = Fortuna Minor.
20. Fortuna Minor comme Témoin droit.
21. Conjunctio, Témoin gauche, le futur ainsi qu'en Sentence.
22. Passation de Cauda Draconis de Maison II en Maison VI.
23. Cauda Draconis continuant à passer en Maison IX.

avec sa Maison VI) alors que son côté matérialiste le freine (*Cauda Draconis*, Maison IX est en carré avec sa Maison VI).

La passation de *Fortuna Minor*, de Maison I en Maison XI indique que Monsieur X est accaparé par un projet. Qu'il déploie une grande activité (24) dans cette recherche d'un travail (25).

La passation de *Rubeus*, de Maison III en Maison VIII indique que les contacts qu'il déploie pour sortir de sa situation sont souvent inopportuns et parfois agressifs.

Le Juge, sans dire absolument non à la question, répond qu'il n'y est pas favorable (26).

La Sentence indique que malgré l'opinion du Juge, le consultant se sent capable de s'adapter à la situation (27).

24. Majorité des figures mobiles.
25. Majorité des figures de Feu.
26. Amissio, figure de Feu dans une case d'Air.
27. La Sentence est en rapport avec le questionneur et reflète sa pensée.

THÈME GÉOMANTIQUE

Exemple 7

QUESTION Quel est le portrait moral et intellectuel de M. X? DATE

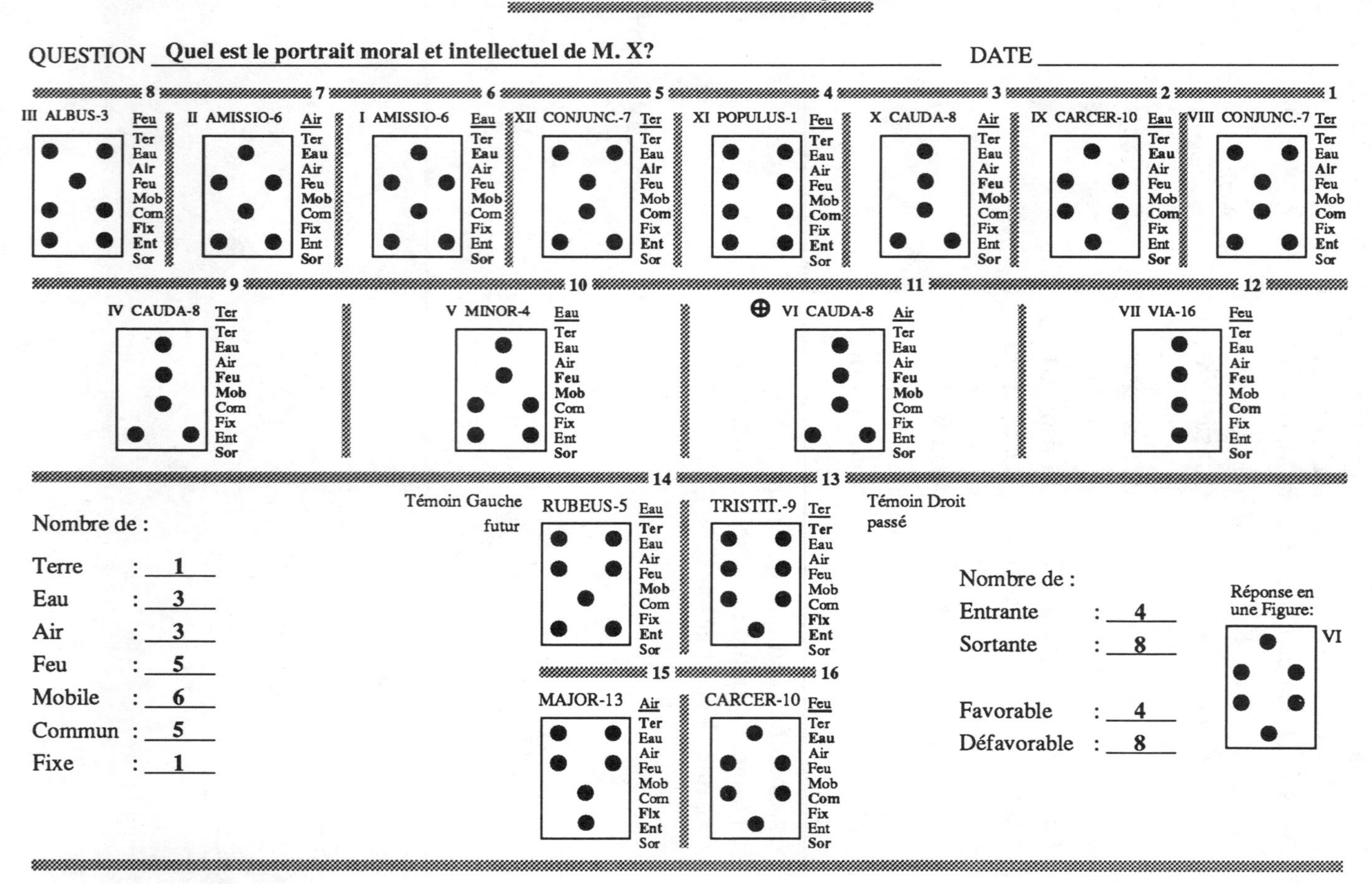

Exemple 7

Consultant: Monsieur X, 27 ans, célibataire. Il détient un certificat professionnel en mécanique, mais il n'aime pas son métier. Il a donc une instabilité professionnelle. Ses parents sont décédés. Il a un frère.

Question: Quel est le portrait moral et intellectuel de M. X.? Qui est-il?

Réponse en une seule figure: *Carcer*, Maison VI: limitation, blocage par rapport au travail.

Réponse détaillée circonstanciée: dans le thème suivant.

Actuellement, Monsieur X est découragé, dépressif; il manque d'énergie, de vigueur et de tonus; il se laisse aller (1).

Son salaire ou ses gains sont à son image, ils diminuent (2). Cette situation n'est pas causée par des éléments extérieurs à sa volonté, et il en est seul responsable (3).

Son frère est satisfait de sa situation acquise (4). C'est un homme optimiste, honnête, prudent, s'adaptant bien aux circonstances; il a de l'initiative et est intelligent; cependant, il craint l'effort.

L'ambiance familiale de l'intéressé est dépressive, son célibat lui pèse peut-être. Cette ambiance semble être dissolvante, dépressive, inhibitrice et sans joie (5). Elle est également en rapport avec son frère (6). Pourquoi? Par couplage géomantique (7), nous voyons que ses contacts avec ce dernier dégénèrent.

Sur le plan sentimental, nous constatons des emballements pour des distractions ou des loisirs qui ne durent pas (8), des liaisons

1. Amissio en Maison I, Eau-Eau.
2. Amissio en Maison II.
3. Amissio originaire de la case 6, soit sa Maison I = lui-même.
4. Albus en Maison III.
5. Cauda Draconis en Maison IV et en carré avec sa Maison I.
6. Cauda Draconis en Maison IV est en rapport avec la case 8, c'est-à-dire la Maison III, le frère.
7. Couplage de Cauda Draconis, Maison IV, avec Albus, Maison III = Amissio.
8. Fortuna Minor en Maison V.

sans lendemain. Il fait de nombreux projets (9) qui n'aboutissent pas (10).

Analysons son travail; c'est un échec (11), ou plutôt une suite d'échecs (12), à cause d'un immobilisme intellectuel (*Carcer*, Maison IX en carré avec sa Maison VI).

Une chance dans ce domaine (13) lui est proposée, c'est de se tourner vers son frère, lequel est débrouillard et peut l'aider (14). Malheureusement, nous avons vu qu'actuellement, il y a mésentente entre eux.

On ne voit pas de mariage en vue, probablement en raison de ses inconstances affectives (15).

L'intéressé pourrait changer son mode d'existence en combinant son intellect et le matériel (16).

Malheureusement, cela lui est impossible présentement (17), en raison de son manque d'argent (18). Il ne peut pas se permettre de lâcher la proie pour l'ombre.

Il y a limitation, blocage dans son rôle social; également sur le plan mental sa spiritualité, ses aspirations, ce qui assombrit ses loisirs (19 et 20).

Une fois de plus, nous constatons que sa profession s'enlise, qu'il ne s'en sort absolument pas seul (21) et que seul son frère pourra être sa planche de salut, sa porte de sortie (22).

En ce moment, il fait des projets, contacte des amis qui ont peu de relations (23) et cela malheureusement sans grand résultat (24).

9. Fortuna Minor vient de la case 4, sa Maison IX avec Populus.
10. Populus (Terre) en case 4 (Feu).
11. Cauda Draconis en Maison VI.
12. Cauda Draconis (Feu) en case 11 (Air).
13. La Part de Fortune en Maison VI.
14. Cauda Draconis en Maison VI vient de la case 8, Maison III, Albus, Air-Feu.
15. Via en Maison VII, Feu-Feu.
16. Conjunctio en Maison VIII.
17. Conjunctio (Air) en Maison VIII (Terre), figure entrante.
18. Conjunctio originaire de la case 7, soit sa Maison II.
19. Carcer en Maison IX, Eau-Eau.
20. Carcer originaire de la case 10, c'est-à-dire sa Maison V.
21. Cauda Draconis en Maison X, Feu-Air.
22. Cauda Draconis en Maison X originaire de la case 8, où il y a son frère; Maison III.
23. Populus en Maison XI.
24. Populus (Terre) en case 11 (Feu).
25. Conjunctio en Maison XII, Air-Terre.

Il a des difficultés à communiquer et ses contacts sont pénibles (25) à cause de son manque de moyens financiers (26), qui constitue une épreuve pour lui.

La figure en Maison I, *Amissio*, passant en Maison II confirme qu'il est responsable personnellement de sa situation financière.

La figure en Maison IV, *Cauda Draconis*, en Maison VI montre l'influence de sa situation familiale sur son travail quotidien. Cette même figure continuant à se loger en Maison X montre le lien entre son ambiance familiale et son train de vie.

Le Témoin droit indique qu'il est pessimiste en raison d'un passé de non-réussite (27). Cela ne l'empêche pas de chercher par tout moyen à modifier, à changer les dénouements négatifs connus auparavant (28).

26. Conjunctio en Maison en Maison XII qui vient de la case 7, c'est-à-dire Maison II.
27. Tristitia témoin du passé, venant de la case 9, soit de la Maison IV.
28. Rubeus en case 14, Terre-Eau, figure entrante.

Réponse: La majorité des figures de Feu prouvent qu'il met beaucoup d'énergie, mais la plupart des figures mobiles indiquent un gaspillage: des coups d'épée dans l'eau!

Le Juge pense que c'est un brave type qui se bloque!

Dans le cas d'une **figure favorable**, même puissante par position angulaire (les Maisons I, IV, VII et X) et **mal aspectée** (carré) par une **figure bénéfique**, les événements heureux se réaliseront mais avec difficulté ou obstacle dont la nature sera reconnue par l'examen de la figure bénéfique qui envoie la discorde.

Une **figure favorable** ne produit pas que des effets heureux. En mauvaise position avec les éléments de sa case, elle ne produit que des apparences de bien ou des faiblesses cachées si la Maison XII est en cause; visibles pour les autres Maisons.

La **figure aspectante** fournit les explications à apporter à la nature des encouragements, des facilités, des circonstances favorables déterminant l'événement heureux, dans le cas du trigone ou du sextile, ou les obstacles, délais, difficultés dans les mauvais aspects: carré, opposition.

Conduite de l'interprétation

1. Interpréter la figure présente dans la Maison considérée, en accord ou non avec les éléments en présence.

2. Développer l'ambiance de la case étudiée. Elle est définie par la nature de la figure originaire de cette case (*Lætitia* pour la case 2, *Rubeus* pour la case 5).

3. Préciser l'interprétation obtenue en faisant intervenir l'hérédité de la figure présente dans la Maison considérée, c'est-à-dire ce qu'elle apporte de sa case originaire.

L'interprétation d'une figure ne saurait être complète tant que ces trois éléments et même un quatrième (les figures complémentaires) n'ont pas été réunis par une combinaison entre eux.

Exemple 1

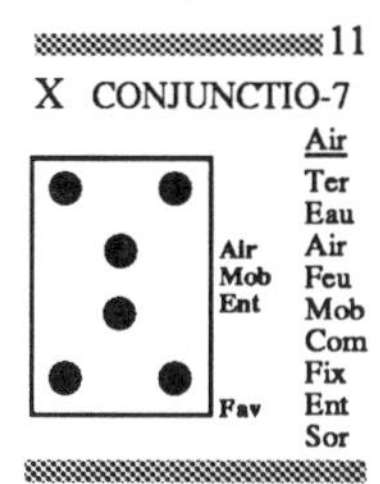

1. *Conjunctio*, originaire de la case 7, en case 11 (Air-Air) avec Maison X = réalisation sociale confortable.

2. L'ambiance de la case 11 est définie par la nature de la figure originaire de cette case, soit *Acquisitio* = ambiance de richesses.

3. *Conjunctio* originaire de la case 7 dans laquelle se trouve, dans cet exemple, *Acquisitio* = case d'acquisition de richesses.

Exemple 2

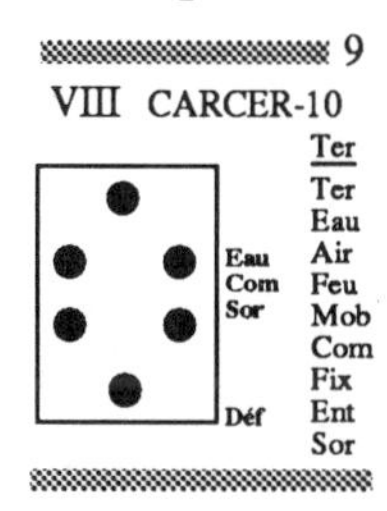

1. *Carcer*, originaire de la case 10, en case 9 (Eau-Terre) avec Maison VIII = transformation majeure impossible.

2. L'ambiance de la case 9 est définie par la nature de la figure originaire de cette case, soit *Tristitia* = chute, descente.

3. *Carcer*, originaire de la case 10, dans laquelle se trouve *Rubeus* = révolte, mécontentement.

Et la présence de la Maison IX: à cause des voyages à l'étranger.

Extrapolation: *Rubeus*, originaire de la case 5, avec *Populus* = le public, l'instabilité; et la Maison IV = dans le foyer.

Populus vient de la case 1 avec *Tristitia* et nous retrouvons la case 9, et la Maison XII = c'est une épreuve.

Pour connaître la cause ou une précision **concernant l'information d'une maison:** chercher l'origine de la figure qui s'y trouve et qui a été interprétée. La Maison présente dans cette case donnera la précision demandée.

Exemple 1

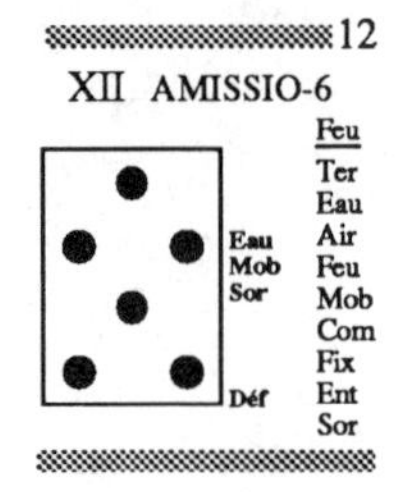

Amissio en Maison XII = diminution, disparition des épreuves, mais de quel genre?

Amissio, originaire de la case 6 (Eau), dans laquelle se trouve la Maison VI = épreuve causée par une maladie ou par le travail?

Épreuves consécutives au travail parce que la Maison IV est en case d'Eau (ou de Terre). En cases de Feu ou d'Air, elle concernerait la santé.

Exemple 2

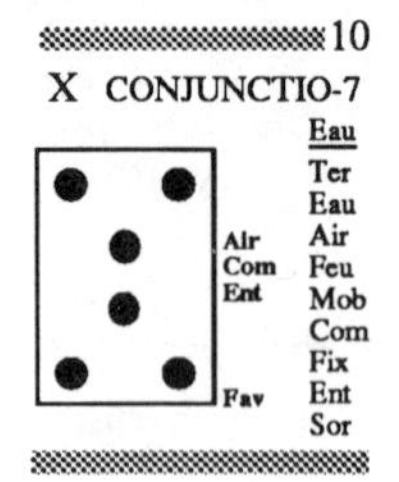

Conjunctio en Maison X = profession de réalisation concrète, mais dans quel domaine?

Conjunctio est originaire de la case 7, dans laquelle se trouve, par exemple, la Maison VI.

Si on n'a pas précisé au départ le sens exact à donner à la Maison VI, c'est-à-dire santé, travail, employés, etc., il ne sera pas possible de préciser dans quel domaine s'exercera la profession.

En résumé: dans l'interprétation **complète** d'une figure:

1. On explique la figure active, la figure courante, présente dans la Maison considérée.
2. On trouve son explication en fonction des affinités de l'élément de la figure avec celui de la case dans laquelle elle se trouve.

3. Il est souvent utile d'évaluer les aspects qu'elle reçoit; de la compagnie, du sextile, du trigone, du carré, de l'opposition.
4. On développe l'ambiance de la case étudiée. Elle est définie par la nature de la figure originaire de cette case (*Lætitia* pour la case 2; *Rubeus* pour la case 5).
5. On précisera l'interprétation obtenue en faisant intervenir l'hérédité de la figure présente dans la Maison considérée, c'est-à-dire ce qu'elle apporte de sa case d'origine.
6. On examine la figure complémentaire. Elle donnera l'envers du décor, les possibilités d'évolution, d'ambiance qu'elle porte en elle, et cela, **toujours dans le sens** de la question ou de la réponse.

On voit l'extrême richesse de renseignements qu'il est possible d'obtenir!

Réponses rapides

Toute médaille a son revers.

Toute question comporte deux faces (aspects).

Nous sommes dans un monde binaire où tout a son contraire ou son complémentaire.

C'est la raison pour laquelle il est nécessaire de faire deux figures. Il y aura le premier aspect de la question, le bon côté ou côté visible; puis le deuxième aspect, le mauvais côté, celui qui est caché.

Puis, on couple ces deux figures qui en engendrent une troisième; celle-ci sera le résultat des deux côtés de la question.

Un jet supplémentaire pourra indiquer le domaine de la Maison intéressée.

En Géomancie (comme en Intrapsychisme), les questions que nous posons sont de deux ordres.

1. **Celles qui incluent un acte.**
   Exemple: Est-ce que je déménagerai cette année?
2. **Celles qui sont la conséquence d'un événement.**
   Exemple: Comment se terminera mon procès?

Dans le premier cas, deux quesitons doivent être posées pour que la réponse soit claire.

a) Est-il souhaitable que je déménage cette année?

b) Est-ce que je déménagerai cette année?

En effet, il est possible que je ne puisse pas déménager, quoique cela soit souhaitable; ou alors je peux déménager, même si ce n'est pas souhaitable...

Dans le deuxième cas, une seule figure peut donner des éléments circonstanciés suffisants.

Exemple: a) Je gagnerai mon procès:

de façon satisfaisante;

il sera coûteux (indemnité?);

il sera long à régler;

il y aura pourparlers quant aux procédures.

b) Je perdrai mon procès dans telles circonstances.

Les figures positives ainsi que les figures complémentaires parlent le langage en rapport avec la Maison concernée par la question.

Exemple: Maison III pour un déménagement; Maison VII pour un procès.

Dans la nature, tout est ordonné, prévu, jusqu'aux moindres détails; rien n'est laissé au hasard, sans cela l'anarchie empêcherait le déroulement harmonieux du programme divin.

Notre libre arbitre existe, influencé à notre insu par l'ambiance. Tout cela fait partie du programmne minutieusement établi par nous avant notre arrivée ici-bas. Ce qui arrivera est donc prévisible, et ceci est confirmé par de nombreuses prédictions exactes.

Voilà pourquoi il nous est possible de connaître ce qui nous arrivera (avec les restrictions concernant la pure curiosité et la mort).

LES MAISONS DÉRIVÉES

Les *Maisons dérivées* forment une partie importante de la Géomancie. Elles rendent possibles les descriptions les plus intéressantes. Leur emploi judicieux permet, non seulement de préciser les lignes générales du thème, mais également de donner des détails qui animent et colorent l'ensemble et paraissent créer de la vie autour du principal personnage.

La pratique des Maisons dérivées peut dévoiler toute la vie, tout le mystère de l'être et tous les facteurs agissant, non seulement sur le consultant, le titulaire du thème, mais autour de lui, révélant toute la vie d'un seul individu et celle de son père, des parents de son père et de ses arrière-grands-parents.

On peut voir aussi les principaux faits généalogiques qui expliquent les facultés héréditaires, transmises, perfectionnées ou déformées à travers la chaîne des êtres.

Si l'on s'en tient à la vie présente du consultant, ou de la personne étudiée, les Maisons dérivées font surgir les explications les plus plausibles et les plus directes sur les événements actuels qu'il traverse et sur ceux qu'il ne connaît pas encore.

L'exploitation intense des Maisons dérivées demande un travail très subtil, tout en finesse.

Sans l'emploi des Maisons dérivées, plus de la moitié de ces événements passent inaperçus et restent inexplorés.

Essayons d'analyser le mécanisme du système.

Normalement, la première Maison représente le sujet lui-même; la deuxième Maison, ses finances; la troisième Maison, ses frères et sœurs, etc.

Pour les Maisons dérivées, l'une des douze cases du Ciel géomantique peut devenir à son tour une nouvelle première Maison.

Par exemple, pour décrire le frère cadet du sujet, avec toutes les particularités de sa vie, on le représentera par la figure de la Maison III du thème qui deviendra sa première Maison.

On procède alors à l'interprétation comme s'il s'agissait d'un nouveau thème.

Les finances du frère cadet du consultant sont représentées par la Maison II de ce frère, soit la Maison IV du thème du questionneur.

Chaque frère (ou enfant s'il s'agit de la Maison V) est représenté par la troisième figure en remontant vers le passé, et en comptant comme première figure celle du cadet. S'il s'agissait du précédent conjoint, on remonterait à la septième figure en commençant par la septième du thème.

Exemple: dans le cas de trois frères, le dernier-né, le cadet est représenté par la figure en Maison III, le deuxième enfant par la figure en Maison I, l'aîné ou premier enfant par la Maison XI, etc.

Rappelons la spécificité des Maisons

Pour l'étude du sujet lui-même: la Maison I.

Pour l'ensemble de ses finances: les Maisons II, VI, X, VIII (héritage) et V (spéculations).

Pour sa santé: les Maisons I, VI, XII et VIII.

Pour sa profession: les Maisons III (travaux pratiques), VI et X.

Pour son mariage: les Maisons VII (conjoint) et V (affection, disposition du cœur).

Pour sa descendance: surtout la Maison V.

Pour son ascendance directe: les Maisons IV et X.

On peut prendre comme Maison I:

La Maison VI et connaître tout ce qui est en rapport avec le travail: ses profits, l'entourage, les lieux, les loisirs, les influences sur la santé, les contrats de travail, les patrons, etc.

La Maison VIII pour connaître les conséquences d'un bouleversement dans sa vie.

La Maison X pour connaître la destinée d'une entreprise, et celle d'un projet avec la Maison XI, etc.

Applications des Maisons dérivées

Suite de l'exemple 5 de la page 244.

Étudions le **père de Madame X**. Il est représenté par la figure en Maison X, soit *Tristitia* (Terre, Air, fixe et entrante), qui devient sa Maison I.

Elle nous montre un homme découragé, fatigué. Cherchons pour quelle raison. Sa santé représentée par *Lætitia* (Eau, Feu, mobile et sortante), dans sa Maison VI (qui est la Maison III de sa fille), est plutôt favorable et ne justifie pas son découragement, pas davantage son travail si on interprète sa Maison VI sur le plan du travail.

Alors pourquoi? Difficultés pécuniaires? Possible, car *Via* (Feu-Feu) dans sa Maison II (la Maison XI de sa fille) est une indication dans ce sens.

Mais aussi *Cauda Draconis* (Feu, Terre, mobile et sortante) de sa Maison III (la Maison XII de sa fille) montre une désaffection dans son entourage qui grandit son égard.

De plus, la Passation du *Cauda Draconis* Feu, Air, mobile, sortante de sa Maison III dans sa Maison V (la Maison II de sa fille) nous précise que les responsable sont ses enfants.

Un coup d'œil sur la **mère de Madame X**. Elle est représentée par la figure en Maison IV, c'est-à-dire *Acquisitio* (Air, Terre, fixe et entrante). Cela nous donne une personne réfléchie, avide de connaissances, ambitieuse, avec beaucoup de qualités inhérentes à cette figure, sur un fond de stabilité.

Côté santé, sa Maison VI (la Maison IX de sa fille) avec *Cauda Draconis* (Eau, Feu, mobile et sortante) nous montre une personne déficiente, instable, mais désirant s'améliorer (figure sortante).

Et maintenant, qui est l'amant de Madame X? Il est représenté par la Maison V du thème de Madame qui devient sa Maison I, occupée par *Puer* (Eau, Feu, mobile et sortante), et sa mère par la figure présente dans sa Maison X (la Maison II de Madame X) *Cauda Draconis* (Air, Feu, mobile et sortante). C'est une personne présentement en perte d'énergies psychiques, en dépression, neurasthénique évolutive (Feu, Air, mobile et sortante).

Suite de l'exemple 6 de la page 248.

Étudions rapidement les **trois enfants** de Madame X.

Le dernier-né, le cadet, est représenté par la figure en Maison V du père qui est *Caput* (Air, Eau, fixe et entrante), ce qui implique un être d'une intelligence moyenne, qui assimile bien ce qu'il reçoit, d'une ambition modérée, stable psychiquement, qui veut tout apprendre, mais a du mal à choisir; c'est ce qu'indique *Populus* dans sa Maison III (la Maison VII du père).

L'avant-dernier enfant, soit son frère, est représenté par la figure en Maison XII du père (3 cases avant la Maison V) avec *Amissio* (Eau, Mobile, et sortante). C'est un enfant qui est en perte d'énergies, manque du désir de vivre, découragé, négligent, dépressif.

En ce qui concerne ses possibilités intellectuelles pour les études, sa Maison III (la Maison II du père) avec *Cauda Draconis* (Feu, mobile et sortante), nous le montre passablement paresseux, avec cependant la possibilité de s'améliorer (mobile et sortante).

L'aîné, le premier enfant, est représenté par la troisième figure précédant celle du second enfant, c'est-à-dire la Maison II du père, occupée par *Cauda Draconis* (Feu, mobile et entrante), ce qui désigne un caractère qui n'a pas confiance en lui. Il s'enlise dans la matière. Actions dissolvantes, génératrices de discordes.

Suite de l'exemple 7 de la page 252.

Qui était le grand-père de Monsieur X?

Son père est représenté par la figure en Maison IV, qui devient la Maison I de son père, soit *Cauda Draconis*. Le père de son père est représenté par la figure en Maison IV de ce père, c'est-à-dire *Via* (Feu, commune et sortante). C'était une personne d'une grande activité morale et physique, mais avec un esprit indécis, capricieux, étourdi, faisant des efforts à répétition sans résultat apparent, avançant vers un but mal défini.

Qui était l'oncle de Monsieur X (le frère de son père)?

Le frère de Monsieur X est représenté par la Maison IV de son thème. Son oncle (le frère de son père) est représenté par la Maison III du père du consultant, soit la Maison VI occupée par *Cauda Draconis* (Feu, mobile et sortante). C'est le portrait d'un homme qui manque de confiance en lui, de tendance matérialiste, dépressif qui «s'enfonce» dans la matière.

FIGURES GÉOMANTIQUES COMPLÉMENTAIRES

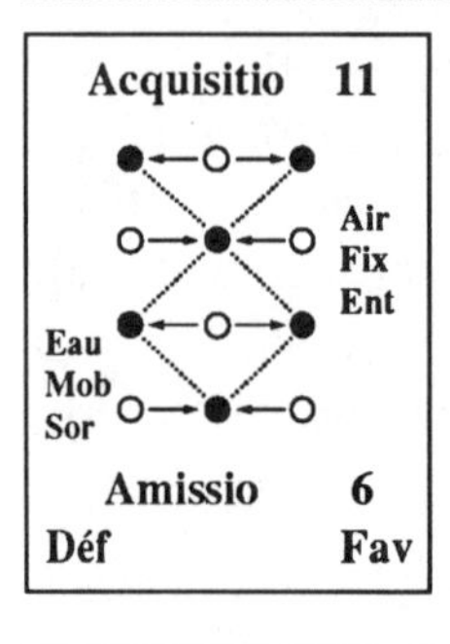

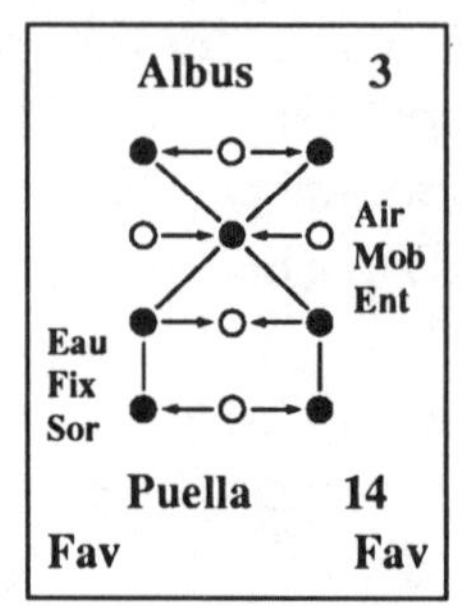

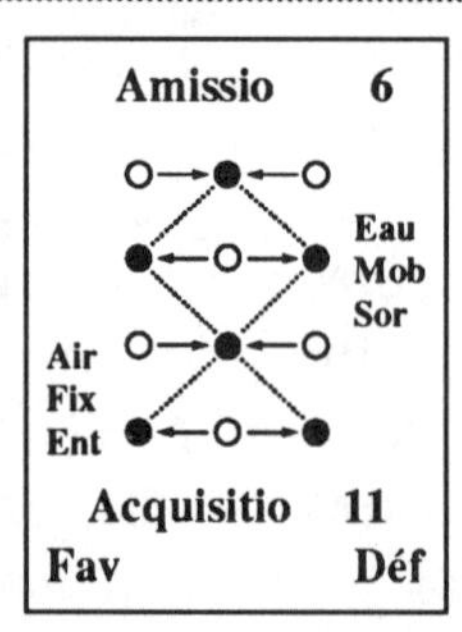

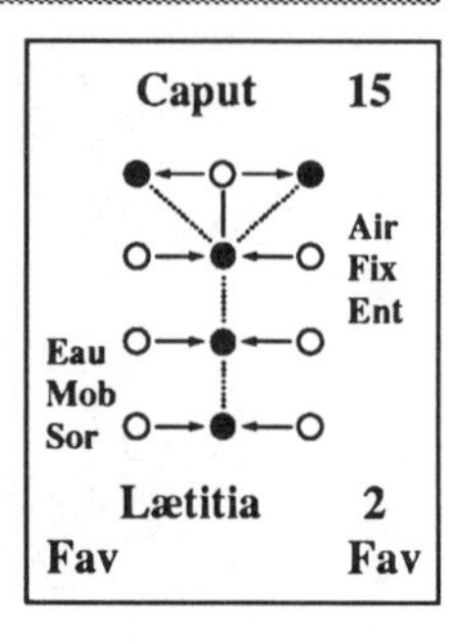

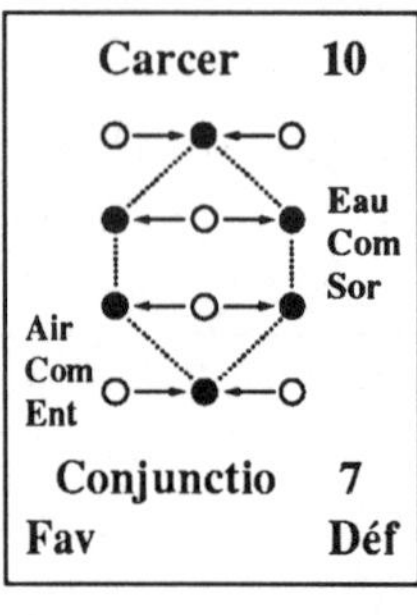

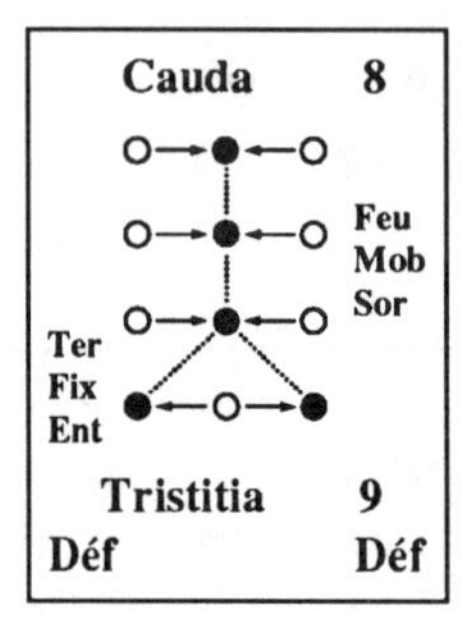

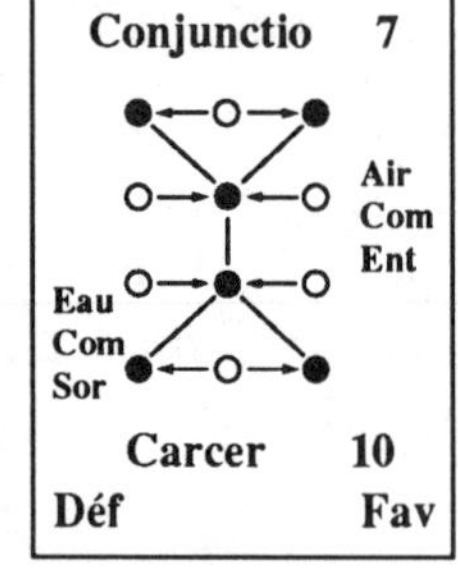

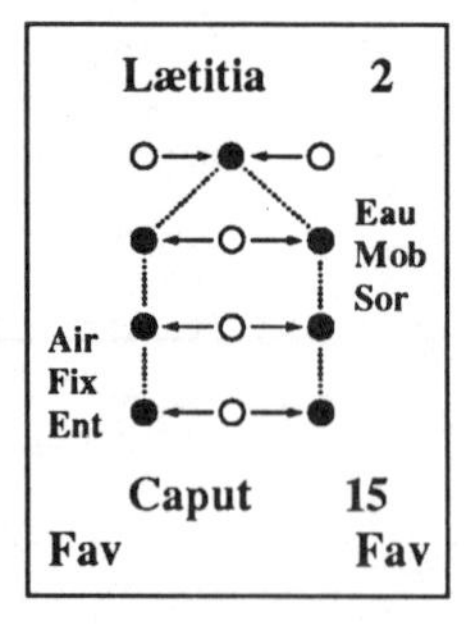

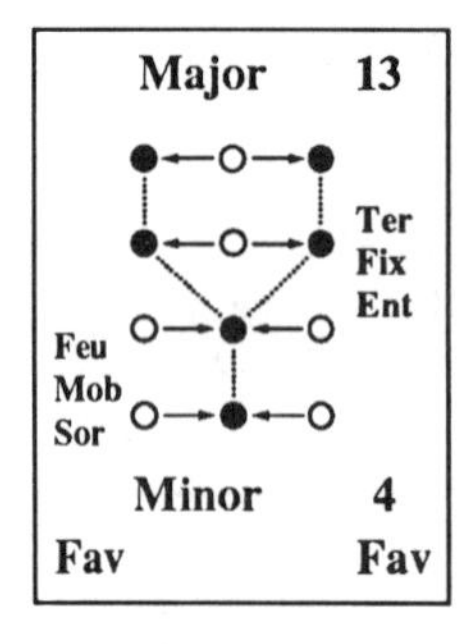

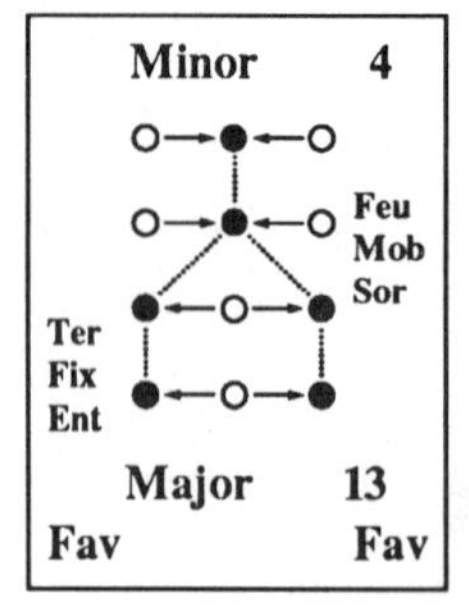

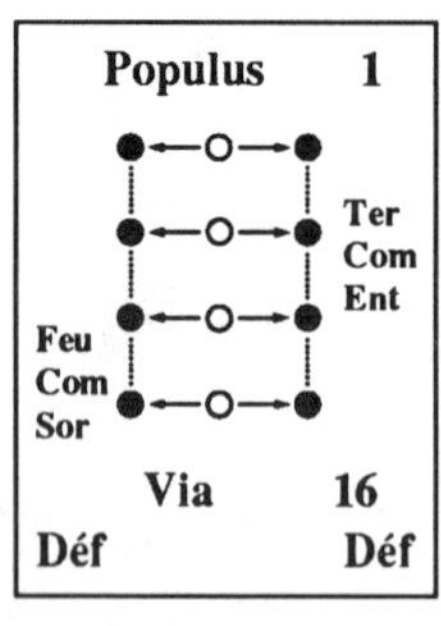

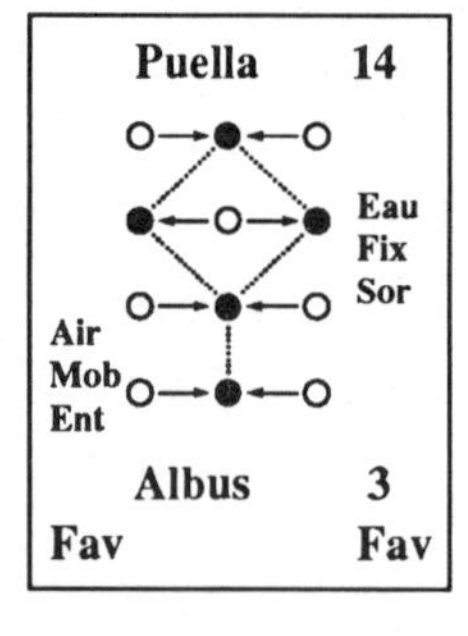

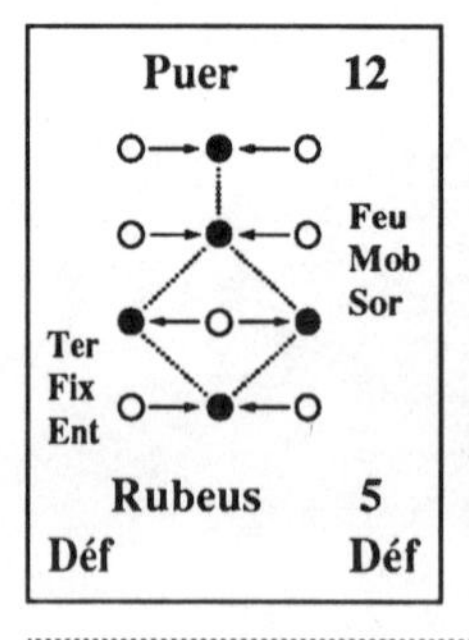

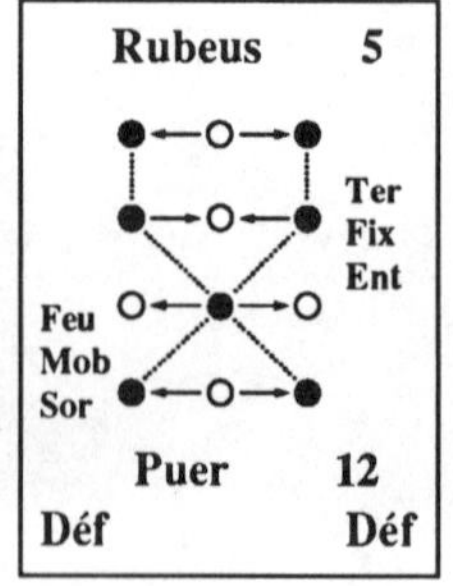

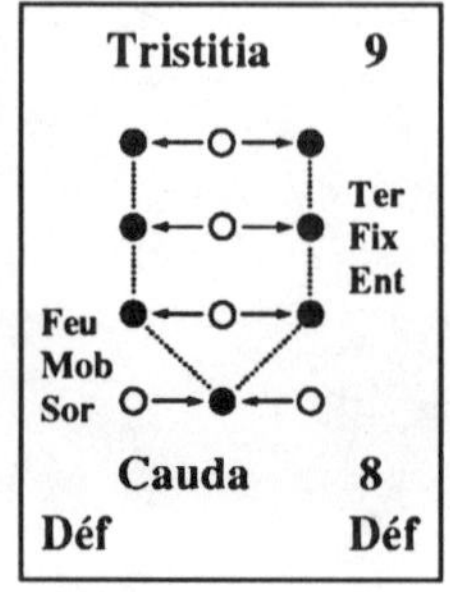

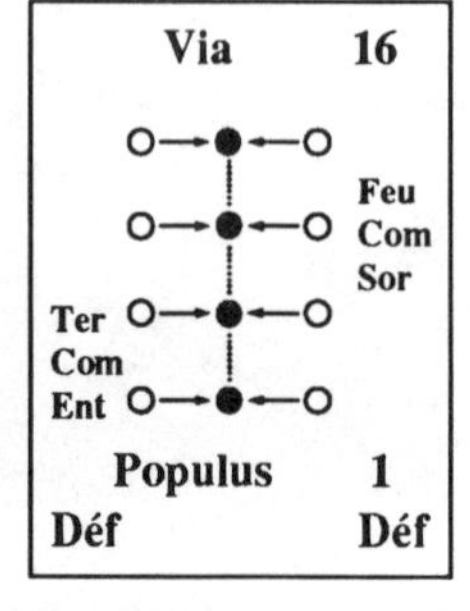

LES FIGURES COMPLÉMENTAIRES

Toutes les figures géomantiques émanent d'un Centre de forces cosmiques sous l'aspect visible d'un tableau de douze points de condensation, qui forment une figure géomantique dont le nom est *Populus*.

De ces douze points, il en émerge un certain nombre à la suite de tracés de barres sur une feuille de papier, ou de la projection de petits cailloux, cela sous l'influence de la disposition psychique de celui qui agit, ou pour qui la projection s'effectue.

Les projections font apparaître des points «chauds». La réunion de ces points «chauds» forme une figure; une seconde est constituée par la réunion des points restés sous-jacents. Chaque projection crée donc une figure à deux faces, chacune sur un plan différent, avec deux polarités complémentaires.

La première figure qui apparaît est l'aspect clair, extérieur, exotérique de la réponse. La seconde figure située au dessous est dite figure complémentaire et donne l'aspect caché, intérieur, ésotérique de la réponse et les conséquences qui peuvent en découler.

C'est sur cet aspect sous-jacent, sur ce «terrain» qu'évolue la figure visible, active. Une figure géomantique est donc ambivalente dès sa naissance, et il est bon d'en tenir compte.

La figure complémentaire passive va révéler l'envers du décor, les possibilités d'évolution, de comportement de la figure active; elle comporte donc en elle une ambiance de ressources indicatives.

Supposons: *Conjunctio*, originaire de la case 7, en figure active et *Carcer*, originaire de la case 10, en figure passive.

Que ce soit pour *Conjunctio*:

les communications	en rapport
l'assimilation	ou dans le domaine
les mutations	de la Maison qui
les liens	se trouverait dans
les engagements	la case 7
l'attrait pour autrui	origine de
la créativité	*Conjunctio*:
l'aptitude aux affaires, etc.	

Carcer, originaire de la case 10, en figure passive indique:

Qu'il y a nécessité de concocter, de réfléchir, de préparer en pensée. Et cela particulièrement dans le domaine de: la Maison en case 10 et de la façon suggérée par la figure présente dans cette case.

Exemple d'interprétation générale d'une figure dans un thème professionnel.

***Tristitia* en Maison IV**

a) Foyer sans joie.

b) Terre, fixe en case de Feu: Atténuation de cette appréciation. Terre + fixe = foyer stable et vraisemblablement uni, figure entrante.

c) ***Tristitia* en affinité** avec la case 9, occupée par exemple par *Conjunctio* (Air-Terre), en Maison XI, par exemple = indique l'origine.

   Foyer morose à cause de projets (Maison XI) difficilement réalisables (*Conjunctio* = réalisation. Air-Terre = incompatibilité).

d) *Cauda Draconis* complémentaire de *Tristitia* indique que le foyer s'enfonce dans la dépression. *Cauda* reliée la case 8 dans laquelle se trouve par exemple *Fortuna Major* Ter/Ter annonce un espoir de juguler la déprime.

Autre exemple d'interprétation générale d'une figure géomantique dans un thème professionnel.

***Populus* en Maison II** (Terre-Eau)

a) Gains incertains d'origine. multiples.

b) **En compagnie** d'une figure fixe, entrante = situation financière de longue durée.

c) ***Populus* en affinité** avec la case 1, occupée par exemple par *Puella* (Air-Terre) = les gains sont en rapport avec tout ce qui touche les femmes, les arts, le luxe, etc., et avec un peu de laisser-aller (c'est un peu *Puella*).

d) ***Via* complémentaire** de *Populus* indique que les gains rentrent au coup par coup. On pense au travail à la «pige».

Via reliée à la case 16, occupée par exemple par *Lætitia* (Eau, Feu, mobile et sortante) indique une certaine augmentation des gains.

Exemple d'étude complète d'une figure

Soit ***Acquisitio***, originaire de la case 11 (Air, fixe et entrante), en Maison III.

Indication d'acquisitions; modulées et nuancées selon l'accord ou le désaccord des éléments en présence: figure-case.

Très amplifiées, si Terre-Feu ou Air-Feu;

Normales, si identiques Eau-Eau ou Feu-Feu;

Inhibées, en cas de désaccord Terre-Air ou Eau-Feu.

Acquisitions par?

l'entourage,
les contacts,
les déplacements,
les écrits,
les études,
les entreprises commerciales ou industrielles,
les réalisations concrètes,
etc.

Dans quel domaine?

Celui de la Maison en case 11, origine d'*Acquisitio*.

Si c'est la Maison:

I: par efforts personnels;
II: des gains, de l'argent;
IV: familial ou des biens immobiliers;
VI: la santé, le travail quotidien, des activités de loisir, les spéculations, les enfants
etc.

De quelle façon? En case 11 avec:

Amissio: risques de perdre (nuancés par les éléments en présence);

Caput: En s'élevant, en progressant, par intelligence, en esprit;

Carcer: Par discrétion, concentration, cogitation;

Lætitia: Avec aisance, satisfaction, croissance, ambition;

Populus: Par le public ou en public, par multiplication, dans l'incertitude.

La figure **complémentaire est *Amissio***, qui donne le côté caché, ce qui pourrait arriver.

Il y a donc un risque de diminution, de restrictions, de pertes, d'échecs, de gaspillage, d'assimilation, d'entêtement, etc.

Ces modalités sont à nuancer selon les éléments en présence; *Amissio* (Eau) en case en accord ou en désaccord; comme il a été précisé pour *Acquisitio*.

Dans quel domaine y a-t-il des risques?

Celui de la Maison en case 6, origine d'*Amissio*.

Si c'est la Maison:

I: Négligences, imprévoyances personnelles;
VII: À cause du conjoint, des affaires, d'un procès;
IX: De l'étranger, voyages ou individus; vie spirituelle;
X: Professionnel, père ou mère, niveau de vie;
XI: Des amis, des projets;
XII: Des épreuves, des gros animaux, des responsabilités.

En résumé

Dans l'interprétation **complète** d'une figure, il y a lieu de:

1. Développer la signification de la figure active présente dans la Maison considérée.
2. Interpréter ses caractéristiques: élément, mobilité en rapport avec la case.
3. Évaluer les aspects que la figure reçoit: compagnie, sextile, trigone, carré, opposition; éventuellement dans les deux sens.
4. Rechercher la source des prérogatives de la figure dans la Maison présente dans sa case d'origine (2 pour *Lætitia*) et la figure qui l'occupe.
5. Relever les imprégnations qu'aurait subies la figure au cours d'éventuelles passations.
6. Développer la signification de la figure complémentaire, dite passive.
7. Interpréter ses caractéristiques: élément, mobilité en rapport avec la case dans laquelle elle se trouve maintenant.
8. Rechercher éventuellement la source de ses prérogatives dans la Maison présente dans sa case d'origine (15 pour *Caput*); position assez délicate à interpréter, qui nécessite un effort de concentration.

Précisions par figures complémentaires dans les thèmes précédents

Dans l'exemple 2 de la page 232

Le découragement de la consultante n'est que temporaire. La récupération est là, prête à se manifester, mais elle sera lente (*Acquisitio*, figure complémentaire, Air-Terre), d'*Amissio* en Maison I.

La Maison convoitée devra subir des rénovations ou transformations, qui ne seront peut-être pas aussi importantes qu'elles le paraissent à première vue (*Rubeus*, figure complémentaire, Terre-Air) de *Puer* Maison IV.

Si actuellement les gains de la consultante progressent lentement, il y a une perspective de croissance importante (*Lætitia*, figure complémentaire, Eau-Terre), de *Caput* Maison II.

On a vu que son travail a tendance à augmenter. On peut préciser qu'il sera valorisé, intéressant et intellectuellement enrichissant (*Lætitia*, figure complémentaire, Eau-Eau), de *Caput* Maison VI.

Dans l'exemple 3 de la page 236

Le consultant (Maison I) aime à prévoir, il réussit très bien, mais avec des tendances à ne pas garder ses acquis, sans sombrer pour autant (*Amissio*, figure complémentaire, Eau-Air), d'*Acquisitio*.

Si sa créance (Maison II) est en mauvaise posture, il y a une perspective de récupération, pas facile (*Acquisitio*, figure complémentaire, Air-Eau), d'*Amissio*.

Il semble que sa situation professionnelle (Maison X) ait un côté artistique, agréable en rapport avec la féminité (*Puella*, figure complémentaire, Eau-Eau), d'*Albus*.

Si la compagnie dans laquelle il a sa créance (Maison VII) est en croissance modeste, une des raisons probablement en cause est qu'elle a d'importants engagements; ceux-ci sont vraisemblablement en rapport avec des activités apportant des connaissances, des occupations intellectuelles, la santé, etc., qui dispersent ses énergies (*Caput*, figure complémentaire, Air-Air), de *Lætitia*.

Le consultant devra faire des efforts pour s'engager personnellement dans cette compagnie, car il s'en est désintéressé et a peu d'énergie à y investir (*Cauda Draconis* de *Tristitia* en Maison VIII, Feu-Feu).

Dans l'exemple 5 de la page 244

L'ami (*Via* Maison XI) est une personne chaleureuse. Nous pouvons préciser: ses idées se bousculent, il est matérialiste, un peu vulgaire (*Populus*, figure complémentaire, Terre-Feu).

Si la démarche (Maison III) n'est pas un succès à cent pour cent, c'est qu'elle comporte l'obligation de mener à terme certaines études (*Caput*, figure complémentaire, Air-Feu), de *Lætitia*.

Quant au contrat de travail (Maison VII), il entraînera des discussions pour aplanir des différends, et il faudra faire preuve d'autorité (*Fortuna Minor*, figure complémentaire, Feu-Feu).

On peut préciser que le travail (Maison VI) ne sera pas immédiatement satisfaisant et que Madame X n'aura qu'une idée en tête, c'est d'y apporter des modifications, relativement mineures (*Rubeus*, figure complémentaire, Terre-Air), de *Puer*.

La situation financière de la consultante (Maison II) la met dans un état de frustration, mais ne la déprime pas pour autant (*Tristitia*, figure complémentaire, Terre-Air), de *Cauda Draconis*.

Dans l'exemple 7 de la page 252

L'état d'esprit du consultant (Maison I) n'est que temporaire, car c'est un homme habituellement d'une bonne vitalité, qui ne se laisse pas abattre (*Acquisitio*, figure complémentaire, Air-Eau), d'*Amissio*.

Si ses gains diminuent (Maison II), il y a des chances pour une remontée spectaculaire (*Acquisitio*, figure complémentaire, Air-Air), d'*Amissio*.

Son ambiance familiale dépressive (Maison IV) est confirmée par un manque de contact familial (*Tristitia*, figure complémentaire, Terre-Terre).

Sur le plan sentimental (Maison V), ses loisirs, ses liaisons sont des succès, même s'ils sont sans lendemain (*Fortuna Major*, figure complémentaire, Terre-Feu), d'*Amissio*.

Pourquoi son travail (Maison VI) est-il un échec? Parce qu'il semble être fatigant pour lui, pas adapté à ses possibilités énergétiques (*Tristitia*, figure complémentaire, Terre-Air), de *Cauda Draconis*.

Il lui est très difficile actuellement de changer son mode d'existence (Maison VIII), car il est très bloqué (*Carcer*, figure complémentaire, Eau-Terre), de *Conjunctio*.

Si c'est l'immobilisme dans son rôle social (Maison IX), c'est parce qu'il ne peut pas confronter ses idées avec d'autres, en vue de créer quelque chose de nouveau (*Conjunctio*, figure complémentaire, Air-Eau).

Ses projets sont sans grand résultat (Maison XI) parce qu'un projet n'est pas réalisé que déjà un autre lui succède; cette prolifération d'idées ne permet aucune réalisation concrète (*Via*, figure complémentaire, Feu-Feu), de *Populus*.

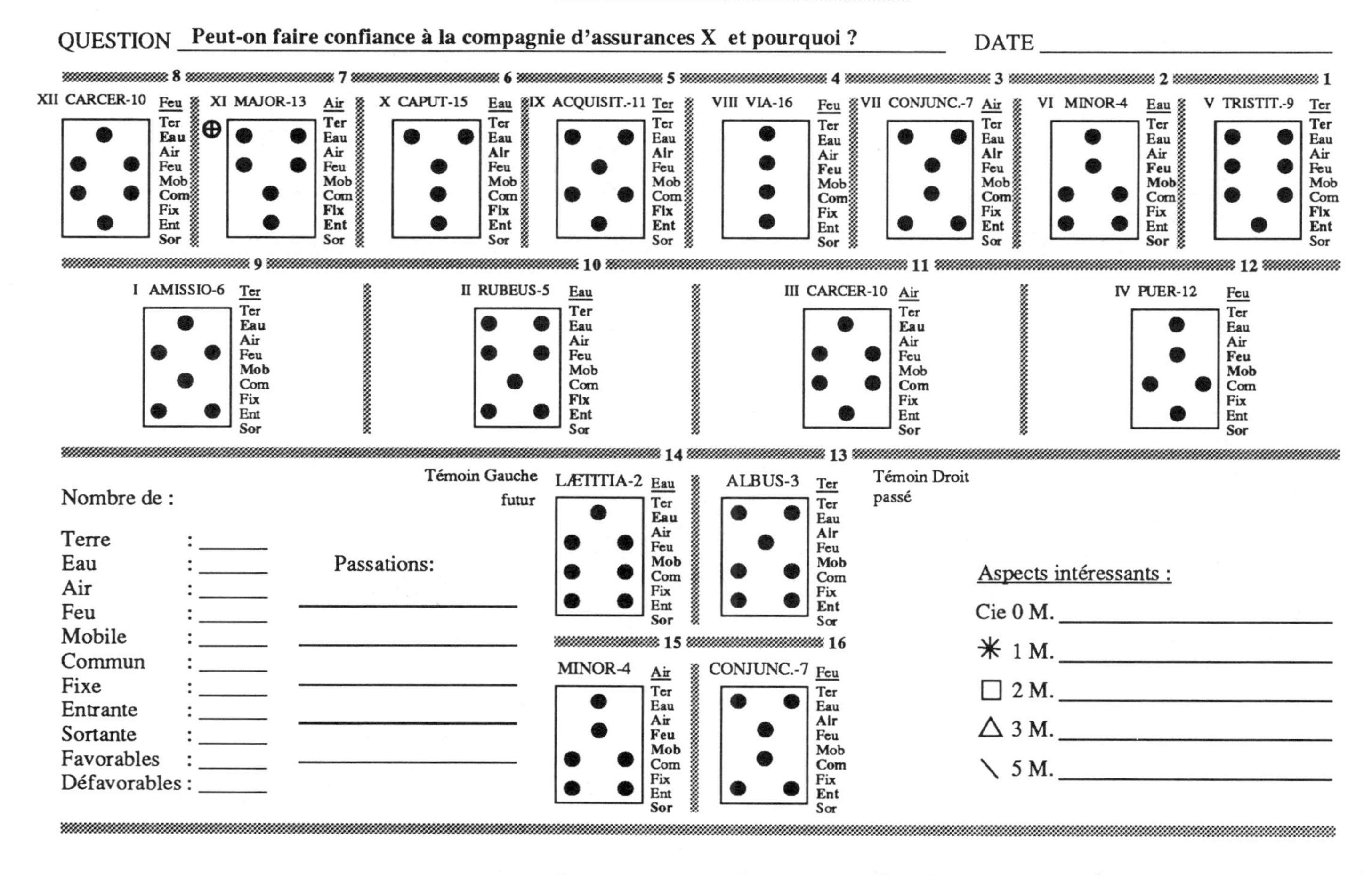
THÈME GÉNÉRAL D'UNE COMPAGNIE
THÈME GÉOMANTIQUE
QUESTION Peut-on faire confiance à la compagnie d'assurances X et pourquoi ?
DATE
8 7 6 5 4 3 2 1
XII CARCER-10 Feu
XI MAJOR-13 Air
X CAPUT-15 Eau
IX ACQUISIT.-11 Ter
VIII VIA-16 Feu
VII CONJUNC.-7 Air
VI MINOR-4 Eau
V TRISTIT.-9 Ter
Ter Eau Air Feu Mob Com Fix Ent Sor
9 10 11 12
I AMISSIO-6 Ter
II RUBEUS-5 Eau
III CARCER-10 Air
IV PUER-12 Feu
14 13
Témoin Gauche futur
LÆTITIA-2 Eau
ALBUS-3 Ter
Témoin Droit passé
15 16
MINOR-4 Air
CONJUNC.-7 Feu
Nombre de :
Terre :
Eau :
Air :
Feu :
Mobile :
Commun :
Fixe :
Entrante :
Sortante :
Favorables :
Défavorables :
Passations:
Aspects intéressants :
Cie 0 M.
1 M.
2 M.
3 M.
5 M.

Question: Peut-on faire confiance à la compagnie d'assurances X et pourquoi?

Préalablement aux jets, nous devons préciser les Maisons qu'il nous intéresse de consulter.

8	1	////////	Maison I = La compagnie
16	2	////////////////	Maison II = Les profits
			Maison III = L'entourage
10	3	//////////	Maison IV = Les biens immobiliers
15	4	///////////////	Maison V = Les spéculations
3	5	///	Maison VI = Le pourquoi
9	6	/////////	Maison VII = Les associés
18	7	//////////////////	Maison VIII = Les mutations
10	8	//////////	Maison IX = L'étranger
8	9	////////	Maison X = La direction
13	10	/////////////	Maison XI = Les projets
7	11	///////	Maison XII = Les difficultés
12	12	////////////	
13	13	/////////////	
5	14	/////	
13	15	/////////////	
7	16	///////	

Total 167 : 12 = reste 11 = Maison de la Part de la Fortune, Maison XI.

17: ///////////////////////////////// = 33 : 12 = reste 9 = case où se trouve la Maison I.
(17e jet)

Question: Peut-on faire confiance à la compagnie d'assurances X et pourquoi?

Afin de répondre valablement à ces deux questions, il me semble qu'il sera nécessaire de consulter les Maisons suivantes:

Maison I: La compagnie;
Maison II: Les profits;
Maison III: L'entourage
Maison V: Les spéculations;
Maison VI: Le personnel, le travail;
Maison VII: Les associés;
Maison VIII: Les mutations, les bouleversements de la compagnie;
Maison IX: L'étranger;
Maison X: La direction;
Maison XI: Les projets;
Maison XII: Les difficultés.

Amissio, Eau-Terre, en Maison I, nous montre qu'un gros nuage noir assombrit actuellement le ciel de la compagnie. Cette mauvaise passe n'est que temporaire. C'est ce que nous confirment les deux témoins du passé et du futur, qui sont bons, et même très bons pour l'avenir (*Lætitia*, Eau-Eau).

Tout cela est confirmé par *Acquisitio*, figure complémentaire, qui montre que la base sur laquelle repose actuellement la compagnie est prête à recevoir et à intégrer un sang nouveau. Étant donné qu'*Acquisitio* vient de la case 11 dans laquelle se trouve la Maison III, cela indique qu'une aide peut provenir de l'entourage, une autre compagnie?

La situation actuelle de cette compagnie est causée en partie par un désordre, un gaspillage d'énergies, de décisions irréfléchies (*Puer*, Feu-Feu, en Maison IV, en carré avec la Maison I).

Ce qui peut améliorer cette ambiance, c'est la suppression de certains investissements étrangers à la vocation de la compagnie. (*Tristitia*, Terre-Terre, fixe, entrante, en trigone avec la Maison I). Cet investissement a été relativement favorable lorsqu'il a été contracté (en remontant dans le passé: *Acquisitio*, Air-Terre en Maison IX est en trigone avec la Maison I). Actuellement, c'est différent.

Rubeus, Terre, Eau, fixe et entrante, en Maison II, montre que dans le domaine des finances, c'est la stabilité dans l'instabilité, les changements fréquents.

L'origine de *Rubeus* dans la case 5 où se trouve la Maison IX indique que l'instabilité financière peut être motivée par la recherche de gains dans des secteurs étrangers, ainsi que nous l'avons vu.

Tristitia, Terre-Terre, fixe et entrante, en Maison V, c'est la certitude de la chute d'un investissement. *Cauda Draconis*, sa figure complémentaire, est en rapport avec la case 8, la Maison XII, occupée par *Carcer*, indique que cet investissement est en rapport avec des lieux de santé (hôpitaux, cliniques, maisons de repos, etc.). C'est une des causes des perturbations actuelles dans la compagnie, comme il a déjà été constaté.

Fortuna Minor, Feu-Feu, mobile et sortante, en Maison VI indique un personnel instable, les bons succèdent aux bons. C'est une recherche constante de renouvellement.

Conjunctio, Air-Air, commune et entrante, en Maison VII, montre des associés, ou des représentants des actionnaires coopérant activement et régulièrement au fonctionnement de la compagnie. Étant donné que la figure complémentaire est *Carcer*, en rapport avec la case 10, dans laquelle se trouve la Maison II, on peut dire que ces gens s'occupent particulièrement en ce moment de cerner le problème financier.

Via, Feu-Feu, commune et sortante, en Maison VIII, suggère une remise en question et un départ vers une nouvelle structuration dans le public (*Populus*, figure complémentaire de *Via*).

Cette mutation rencontre des difficultés dans sa réalisation, mais s'avère cependant efficace et promise à un succès mitigé, quoique réalisable (maison XI avec *Fortuna Major*, Terre-Air, fixe et entrante, et la Part de Fortune).

Fortuna Minor, figure complémentaire de *Fortuna Major*, et passante de la Maison VI au Juge atteste que le succès du projet sera causé par le travail sérieux et qu'on en jugera par les résultats de ce projet de rajeunissement de la compagnie. «Mourir pour renaître» (*Conjunctio*, Air-Feu, commune et entrante en Sentence et en rapport avec la case 7, soit la Maison XI).

Caput en Maison X, Air-Eau, fixe et entrante, représente la direction, mais aussi la destinée de la compagnie. Celle-ci aura donc un honorable rayonnement dans la stabilité, et dépassera ses concurrentes par sa concrétisation matérielle de hauts principes moraux.

Carcer, en Maison XII, Eau-Feu, commune et sortante, indique que la mauvaise passe et les épreuves actuelles sont limitées dans leur nombre comme dans leur durée.

En conclusion, on peut répondre à la première question, «Peut-on avoir confiance en cette compagnie?» par oui.

Pourquoi? Parce que si, actuellement, elle traverse certaines difficultés, elle fait des efforts salutaires de redressement, et que tout indique qu'elle est promise à un bel avenir.

LA VOIE DU POINTS (VP)

Elle met à jour les origines, les motifs de l'affaire en cause, qui auront les plus fortes influences, le plus de valeur sur l'issue de la question.

Si elle ne peut pas se former, la réponse à la question sera déterminée par des causes cachées et souvent imprévues; et ce indépendamment des éléments visibles donnés par les figures du thème.

La Voie du Point relie la Tête du Juge aux Mères ou aux Filles, en passant obligatoirement par les Nièces, dont les Têtes ont le même nombre de points que celle du Juge.

Par exemple, si la Tête du Juge a deux points, la voie de ces deux points passe par le ou les deux Témoins, qui ont deux points à la Tête, puis par une ou plusieurs Nièces, dont les Têtes comportent deux points, pour aboutir aux Mères ou aux Filles, dont les Têtes ont deux points.

L'itinéraire serait le même pour la Tête du Juge à un point, qui devra traverser des Têtes à un point vers des Mères ou Filles à un point.

Les figures et les Maisons intéressées indiquent le genre des influences qui déterminent l'opinion du Juge et les origines de la réponse à la question.

Ceci est la voie de la Tête.

Il est possible de chercher à établir la voie du Cœur, du Ventre ou des Pieds. Si certaines se forment, on en retirera les renseignements précis à leur plan. C'est un moyen souvent efficace pour éclairer une réponse et pour en définir les nuances.

La voie la plus à gauche ou la plus à droite de l'axe médian du thème est la plus importante.

La Voie du Point est le passage de la Terre au Ciel, c'est «l'arbre généalogique du Juge».

LE POINT D'INTENTION ($)

Le Point d'Intention révèle:

a) l'intention profonde du consultant par la figure que contient la Maison;

b) la motivation, qui sera révélée par la Maison dans laquelle il se trouve.

C'est aussi une des caractéristiques de l'affaire, et également l'énergie qui peut être dépensée pour la réalisation de ce qui est demandé.

Pour déterminer la Maison dans laquelle tombe le Point d'Intention, on compte tous les points impairs des douze figures du Ciel géomantique. On divise le total par 12. Le reste indique le numéro de la Maison du Point d'Intention.

Les auteurs n'ont pas révélé tout ce qu'ils ont découvert: chaque chose en son temps!

ORIENTATION GÉOMANTIQUE

Par rapport à l'endroit où je me situe, dans quelle direction se trouve...

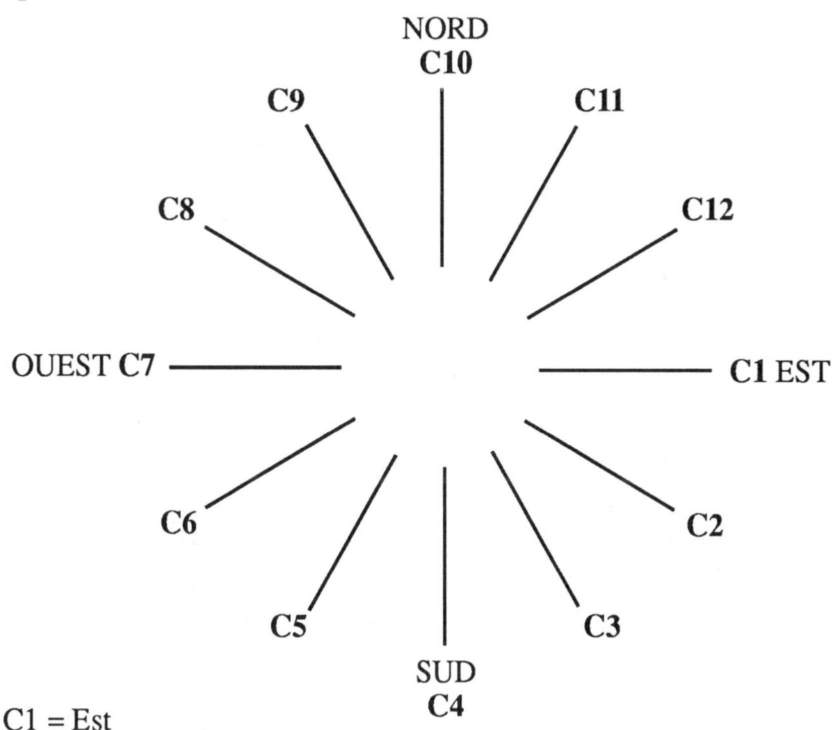

C1 = Est
C2 = Est-sud-est
C3 = Sud-sud-est
C4 = Sud
C5 = Sud-sud-ouest
C6 = Ouest-sud-ouest
C7 = Ouest
C8 = Ouest-nord-ouest
C9 = Nord-nord-ouest
C10 = Nord
C11 = Nord-nord-est
C12 = Est-nord-est

Orientation géomantique

Exemple A

Dans quelle direction se trouve la résidence de Monsieur X, par rapport au lieu où je me situe?

Exemple B

Dans quelle direction puis-je trouver du travail par rapport à l'endroit où je me situe?

Exemple C

Dans quelle direction dois-je chercher un lieu de vacances bénéfique pour moi, par rapport à l'endroit où je me situe?

Avant la projection des jets, définir la Maison concernant la question posée. Soit pour l'exemple A, la Maison IV; pour l'exemple B, la Maison VI; pour l'exemple C, la Maison V.

La réponse sera donnée par le numéro de la case dans laquelle se trouvera la Maison de la question.

Exemple: Est-sud-est du lieu où je me situe si la Maison choisie se trouve dans la case numéro 2.

Distances géomantiques

Exemple: À quelle distance de l'endroit où je me situe se touve la résidence de Monsieur X?

Maison I = le consultant;

Maison IV = la résidence.

Le chiffre arabe accompagnant la figure placée dans la Maison IV indiquera la distance. Exemple: 10 kilomètres avec *Carcer*.

Si on juge que les distances sont trop courtes, on fixera un multiplicateur par convention mentale, avant la projection des jets.

Exemple avec un multiplicateur 10. *Carcer* indiquera 100 kilomètres.

Définition de la Maison avant la projection des jets

Maison II = Pour un porte-monnaie, une bourse;
Maison III = Pour un frère ou une sœur, un proche;
Maison V = Pour un enfant;
Maison VI = Pour un lieu de travail;
Maison VII = Pour un conjoint;
Maison VIII = Pour une sépulture, un engin de mort;
Maison IX = Pour situer un navire, une université;
Maison X = Pour un médecin, pharmacien; un père, une mère;
Maison XI = Pour des secours, la ville la plus près;
Maison XII = Pour un hôpital, la police, un pensionnat.

Dates géomantiques

Pour fixer des événements prévus

Exemple: En quel mois de 19.. pourrai-je acheter une maison dans de bonnes conditions?

Maison I = le consultant;
Maison VII = la transaction.

Avant la projection des jets, préciser les Maisons concernées, ainsi que les douze cases représentant les mois de l'année.

La case dans laquelle se trouvera la Maison VII indiquera le mois demandé, et la figure la façon dont s'effectuera la transaction.

Définition des Maisons:

Maison II = Rentrée d'argent;
Maison III = Visite des frères et sœurs, proches;
Maison IV = Espérer la fin de quelque chose;
Maison V = Prendre des vacances, effectuer des opérations financières;
Maison VI = Trouver un emploi, un serviteur;

Maison VII = Un mariage, un associé;
Maison VIII = Transformer sa vie;
Maison IX = Un voyage à l'étranger;
Maison X = Une distinction, un poste de direction;
Maison XI = Une aide, une réunion, un projet;
Maison XII = Une indemnité, un déficit, une épreuve en général.

L'heure de la journée

Pour connaître l'heure d'un événement prévu pour un jour donné: convenir, avant la projection des jets, que chaque case représentera deux heures: de 0 à 2 heures pour la case 1.

Thème caractérologique

Qu'est Monsieur X?

Maison I = Le consultant;
Maison II = Son attitude vis-à-vis des gains;
Maison III = Ses moyens d'expression; contacts humains;
Maison IV = Ambiance familiale;
Maison V = Les enfants; les plaisirs;
Maison VI = Le travail;
Maison VII = Le mariage, le conjoint, la sociabilité;
Maison VIII = Aime les changements importants;
Maison IX = La spiritualité;
Maison X = L'ambition;
Maison XI = Les relations amicales;
Maison XII = L'envergure, l'inhibition.

Carte du voyage géomantique,
d'après *Géomancie*, de Philippe Dubois,
Éditions Albin Michel, Paris.

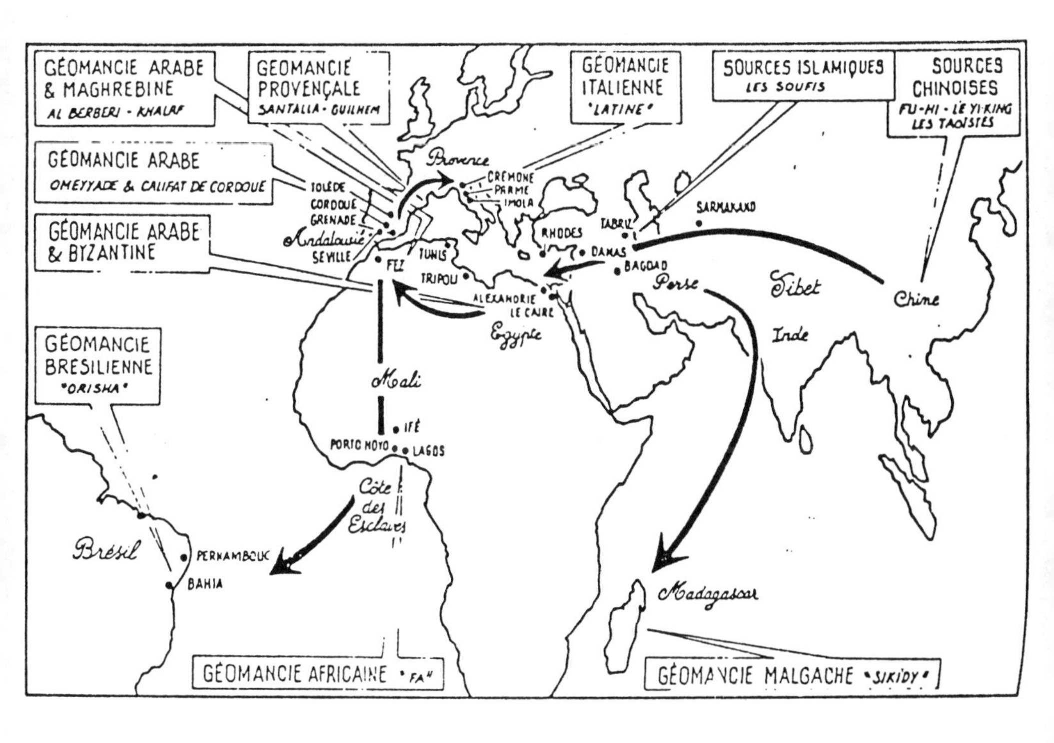

Dans le passé, au cours de son évolution, la Géomancie a été utilisée dans beaucoup de domaines: l'implantation d'édifices, l'organisation des villes; en géologie, pour la recherche d'éléments naturels, pour les transhumances, pour les pêches et les chasses; en métérologie, etc.

CONCLUSION

Parmi tous les chemins parcourus, toutes les matières qui ont été étudiées par Gilbert Jausas au cours de 64 années de recherches à ce jour, la Géomancie est le domaine qui l'a passionné le plus.

Il a su communiquer à de nombreux élèves le «virus» de la Géomancie avec Gisèle, sa femme et incomparable collaboratrice.

Tous les deux souhaitent aux lecteurs de cet ouvrage qu'il en soit ainsi. Ils leur prédisent beaucoup de satisfaction et d'enrichissement.

Les Auteurs

Le professeur Jausas donne des cours sur la géomancie traditionnelle aux personnes qui en font la demande.
Pour plus de renseignements, écrire à l'adresse suivante:

Éditions de Mortagne
a/s Gilbert Jausas
250, boul. Industriel
Bureau 100
Boucherville (Québec)
J4B 2X4
Tél.: (514) 641-2387
Téléc.: (514) 655-6092

QUI EST LE PROFESSEUR GILBERT JAUSAS?

Gilbert Jausas est né en Lorraine en France le 13 septembre 1907 de parents français. En France, il a étudié l'astrologie, la graphologie, l'homéopathie, la géomancie, la radiesthésie, la cosmogonie des Rose-Croix de Max Hendel. Il a été initié à la Rose-Croix d'Or (*Lectorium Rosicrucianum* de Hollande), puis à l'Anthroposophie de Rudolph Steimer.

Il est remonté aux sources de l'Iridologie et a publié deux ouvrages de vulgarisation: *Traité Pratique d'Iridologie Médicale*, édité en français, italien, espagnol, puis *L'Iridologie Rénovée*. Il a enseigné cette science en France, Belgique, Suisse, Italie, Québec. Il a donné des cours d'Iridologie aux médecins du Centre du Dr Ménétrier (Père des oligo-éléments) rue de la Douane à Paris. Il a créé en France L'Association française d'Iridologie Rénovée qui continue son œuvre.

En 1979, Gilbert Jausas publie *L'Intrapsychie*; en 1988 *L'Énergie de la spirale* qui est la base des cours de spiralogie créée par lui. En 1991, *L'Oeil Mystérieux.* Au début de 1993, *La Radiesthésie au service des médecines douces*, puis *La Géomancie traditionnelle* avec la collaboration de sa femme Gisèle L. Jausas.

Il lui a été décerné un diplôme de Médaille de vermeil pour une de ses inventions au concours international d'inventions (Concours Lépine à Paris), puis une Médaille de bronze de la ville de Nice (France) pour reconnaissance de ses travaux.

L'Académie pour les Sciences de Pescara (Italie) lui décernera le titre d'Académicien; le Mérite et Dévouement Français lui remis la Croix d'Officier pour services exceptionnels rendus à la collectivité humaine. Il est ex-membre de la Société des gens de Lettres de Paris.

Gilbert Jausas arrive à Montréal en 1983, crée L'Académie Canadienne d'Iridologie Traditionnelle et Sciences Annexes

Inc. En 1986, il est naturalisé canadien.

Il est Président d'Honneur de la société L'Énergie de la spirale et sciences annexes Inc.

Avec la collaboration de sa femme Gisèle, il crée à Saint-Sauveur le Centre de Recherches et de Diffusion des Techniques du Professeur Gilbert Jausas. Ensemble, ils enseignent les différentes techniques.

Cet écrivain de renommée internationale est considéré comme un témoignage vivant d'une exceptionnelle force de travail, d'énergie et aussi celui d'un grand réalisateur.

Le savoir l'a amené à une certaine connaissance, avec un don de guérison. Sa maxime: s'enrichir spirituellement pour donner et servir.

QUE CONTIENT CE LIVRE?

Voici l'étude de la GÉOMANCIE TRADITIONNELLE, telle que redécouverte par les auteurs et dépouillée de ses erreurs involontaires ou voulues.

Elle permet une interprétation très étendue de ses symboles purifiés et remis dans leur véritable contexte naturel.

Ainsi, est-il possible de voir clairement les choses qui échappent au regard profane, les conséquences de nos actes présents et passés qui nous impliquent dans des événements qui seraient utiles de connaître d'avance.

Si tout est prévu étant donné que ce qui nous arrive est la conséquence de notre passé, essayons de savoir ce qui nous attend; cela pour le vivre dans de meilleures conditions et ne pas ensemencer de nouvelles fautes.

La GÉOMANCIE est un art divinatoire millénaire tombé dans l'oubli; ce qui en reste est confus, contradictoire et décevant.

Les Grands de ce Monde, les Puissants utilisaient la géomancie au même titre que l'astrologie, car elle répondait parfaitement aux questions que posaient leurs occupations quotidiennes.

Le répertoire des questions qui peuvent être posées et résolues concernant notre vie de chaque jour est trop important pour être développé ici. Le géomancier s'initiera dans ce livre aux secrets de la Terre, notre Mère nourricière, qui participe à notre vie terrestre autant que «Notre Père qui êtes aux Cieux». Comme Lui, Elle est porteuse d'informations de tout ce qui se passe en Elle et autour d'Elle.

Interroger la Terre est donc un moyen de «Divine-action», peut-être plus approprié aux questions «terre à terre» qui préoccupent la majorité des hommes, que l'astrologie dont elle est complémentaire.

La pratique de la Géomancie, comme celle de tous les Arts sacrés, se transmettait oralement et ses arcanes n'étaient pas confiés aux écrits. Certains d'entre eux ont été retrouvés et enrichissent maintenant la magique interprétation des symboles géomantiques, voie de transmission infaillible et accessible à tous ceux qui cherchent.

C'est ce que le lecteur pourra trouver dans ce livre.

Et c'est aussi autre chose. L'homme en mouvement, debout sur ses jambes écartées, les bras en l'air formant deux triangles qui se rejoignent par lui.

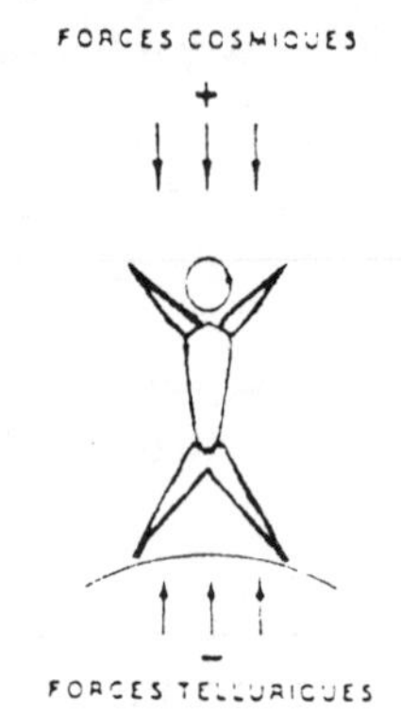

La pointe de celui d'en haut déverse ses énergies au niveau de la septième vertèbre dorsale. Celle-ci est en rapport symbolique avec le septième signe zodiacal et par conséquent avec la «Balance» et les reins (centre de gravité du corps).

La pointe du triangle des forces telluriques déverse la force du feu Serpent de la Terre à la hauteur du sacrum. Elle forme au contact d'autres courants la force féminine «Kundalini».

Cette force s'écoule le long de la moelle épinière et y rencontre le flux de la vie cosmique positive. Il en résulte une «conjonction», l'homme est alors un condensateur d'énergies et devient un transducteur rayonnant d'énergies fluidiques.

L'homme baigne et évolue dans les énergies telluriques à la surface de la Terre. Celles-ci conditionnent en grande partie sa vie terrestre et c'est celle-là qui le préoccupe en général. L'interaction des énergies terrestres avec l'énergie cosmique l'intéresse moins.

Cependant, la connaissance du mystère des énergies telluriques, qui mettent l'homme en syntonisation avec son milieu et le font communier avec les forces cosmiques, est fort utile pour réussir son plan de vie terrestre.

La Terre est un Être vivant et pas une boule de cailloux. Elle a un «Feu intérieur» qui radie des énergies à travers son corps physique. Celui-ci possède un corps éthérique, un corps astral, un corps mental. Elle vit et vibre comme le corps humain, mais à son rythme.

L'enseignement ésotérique nous apprend que le Christ solaire a pris possession de la terre par le chemin du sang de Jésus, et qu'elle est devenue son corps physique.

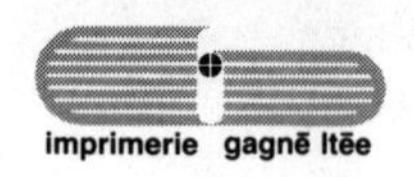
imprimerie gagné ltée

IMPRIMÉ AU CANADA